# 哀愁のコロフォン

陰山晶平
Kageyama Shohei

南船北馬舎

# はじめに

本書は、『活字の厨房 耳順篇』（２０１８年）の第2弾ということになります。前著同様に小舎ホームページ上にくねくねと書き連ねてきた、本のことや、その周辺のもろもろをまとめたものです。前著が２００１年から18年までの間にしるした拙稿をまとめたもので、このたびはそれ以降の、19年から23年にかけて、ここ5年間に〝くねくね〟したものです。

書名は「哀愁のコロフォン」としたのですが、おそらく「なんやのん、そのコロフォンちゅうのは？」とのお言葉を頂戴することになろうかと思います。コロフォンとは「奥付《おくづけ》」のことで、ギリシャ語由来の言葉だそうです。本の巻末にある「書誌情報」（書名、著者名、発行年、刷り数、出版社名など）を記した部分をさします。「哀愁の奥付」でもよかったのですが、カッコつけてしまいました。で、それが「なんで哀愁？」という疑問を持たれるであろうことも予測しますが、それは本文中に同じ「哀愁のコロフォン」という見出しで「そのこころ」をしたためた駄文を収録しておりますので、ご一読いただければありがたく存じます。なお、各小文の掲載順は前著同様に「書いた順」にしました。

２０２３年9月

陰山晶平

哀愁のコロフォン【目次】

## Ⅱ　日誌篇

# I

# 本の話

# 幸福のアラビアへの不幸な探険

『幸福のアラビア探険記』（トーキル・ハンセン著、伊吹寛子訳、六興出版、１９８７年）の書名の文字列を注意深く見ると、「幸福のアラビア」と「探険記」のあいだにわずかなアキが設けてある。カバーデザインの活字の並びは横組みになっており、「幸福のアラビア」でいったん改行し、その下に「探険記」と配置されているのでわからないが、奥付の表記ではそうなっている。「幸福のアラビア　探険記」というふうに。

川端康成のノーベル文学賞での基調講演の演題「美しい日本の私」は、「美しい」のは「私」ではなく、「美しい日本」の「私」ということだし、大江健三郎のノーベル文学賞でのそれは「あいまいな日本の私」であるが、「あいまい」なのは「私」ではなく、当然「日本」にかかるわけだ。

まどろっこしい書き出しをしてしまった。ひょっとしたら本書を「幸福の」「アラビア探険記」としてしまったら……とおせっかいにも思ったのである。もしアラビアへの「幸福の探険記」と思いこんで読み進めていくと、これのどこが幸福なんだ⁉と、看板に偽りありとなってしまう。実際これほどに不幸な探険記はないのである。

本書は、1761年デンマーク王国が「知識と科学との推進、及び臣民の輝かしい栄光のため」にアラビアの地へ派遣した学術調査隊の顚末を、1962年にジャーナリストの著者が原資料からまとめ上げたノンフィクションである。

調査隊のメンバーは、言語学者のハーヴェン教授に、植物学のフォースコル教授、そして天文学・地理学のニーブール中尉ほか、画家、医者が各1名、そして従僕1名、計6人のパーティである。これが、まさに呉越同舟でそれぞれが敵対的でとても共同作業なんて望むべくもない一行なのだ。とくに言語学者のハーヴェンの常軌を逸した無責任と独善、傲慢、怠惰、卑劣、金銭への強欲さは感動的ですらある。いっぽうその敵役フォースコルの高慢さ、短気な唯我独尊ぶりも負けていない。ハーヴェンが砒素を大量に購入して周囲のメンバーを恐怖に落とし入れるにいたってはもはや学術調査隊の体をなしていない。しっちゃかめっちゃかの隊員たちなのだ。そして1767年、それぞれが友情を育むこともなく、互いの存在に嫌悪をもよおしながら、期待されていた学術的な成果をほとんどあげることもなく、旅を終える。しかし、無事生還できたのはニーブール中尉のみで、ほかの5名は祖国を遠く離れたアラビアの地で、過酷な自然と、現地人との軋轢、トラブルに消耗したあげく、マラリアに冒されて命を落としてしまったのだった。

本書の構成は、調査隊の船が出るまでの、とくに両教授の傲慢不遜なふるまいやら、各メンバー間の軋轢、確執の模様の描写にけっこうな紙幅がさかれている。

訳者の伊吹氏は「あとがき」で、「早速読み始めましたが、探険隊の成果に早く行き着きたいと考えていた訳者にとって、最初の何十ページもが出発までのいきさつにあてられていたことは意外で（略）」と述懐されている。私も同様の感想をもつ。

そもそも本書の翻訳は、美術史家の杉山二郎氏からの話であったと訳者はその「あとがき」で紹介している。その杉山氏は「解説」で、1966年「東京大学イラク・イラン遺跡調査団」に参加したおり、イラクのモスルで気分転換に訪れた百貨店で、その書籍売り場の片隅に並べられていたなかから原書を手に入れたとしるし、「自らが参加している東大調査団との比較が時折頭の隅をかすめたりしながら」読んだとある。

東大調査団（団長は「騎馬民族渡来説」を唱えた考古学者の江上波夫氏）も、地政学、人類学、植物学、古生物学、建築史学、美術史学などの学際的な混成メンバーであったようで、こちらの調査隊ではどんな人間模様が繰り広げられていたのだろうと私は下衆の勘ぐりをめぐらしてしまうのである。

さて、書名の意味するところはあらためて書くまでもなく、「幸福」は「アラビア」を修飾し、「幸福のアラビア」の地への「探険記」である。

この「幸福のアラビア」とは「アラビア・フェリックス（Arabia Felix）」というラテン語に由来する。英語では「Happy Arabia」となる。古代ギリシア・ローマ人たちがアラビア半島南部をそう呼んだ。現在のイエメンあたりを指す。

紀元前、この地域は、中国やインド、東南アジアから運び込まれた香料やら香木、絹などを地中海世界へと中継しおおいに繁栄した。東西を結ぶ、独占的な交易拠点であった。また、かの地で採取される乳香、バルサン（樹脂の一種）、没薬《もつやく》などはその希少性ゆえに黄金並みの高値で取引され、これらは巨万の富をもたらした。この地にあったとされるシバ王国の女王がエルサレムのソロモン王に大量の金（200キカル＝約7トン）、宝石、香料を贈った逸話はその金満ぶりをしのばせる。

そうした栄華栄耀を「幸福のアラビア」と羨望をもって呼び習わした。しかしながら、紀元1世紀ごろヒッパロスというギリシャ人が、インドからアフリカ東海岸に至るアラビア海一帯を吹き抜ける季節風の周期性を〝発見〟してしまったことで転機を迎える。つまり、その地のアラブ人しか知らなかったモンスーンをうまく利用した航海術が、秘密でもなんでもなくなって、ひろく知られるようになった。結果、その独占的な交易は終わりを告げる。「幸福のアラビア」は遠い昔話となった。

いまではイエメンといえば、オイルマネーの恩恵にもあずからず、中東の最貧国に没落してしまっている。近年ではシーア派のフーシが台頭し、内戦が激化、物資不足で飢餓状態に陥っているとも伝えられる。

その「幸福のアラビア」と称された地への旅がなぜかくも悲劇的なものになってしまったのか。「幸福」とは何が幸福なのか。すくなくともデンマークの調査隊にとってその問題は切実なものであったようだ。

「生存者が「幸福のアラビア」に固執すれば、それは死を意味するであろう」。サヌアでのニーブール中尉の弁である。

著者のハンセンはつぎのように説いている。

「「幸福のアラビア」という名は誤訳」であるとする。方位を定めるとき、アラビア人は東を向くことから、元来アラビア語で「右」を意味したヤミーン（yamiin）がアラビア南部をさすようになって、そこから「イエメン」（アル・ヤマン、al-yaman）と呼ばれるようになった。「したがってイエメンという国名は右手の国、右の方向にある国の意味である」

そしてまた、右手を清浄とし、左手を不浄とする考えがそもそもあったことから、「右」の国イエメン（al-yaman）は「幸運・繁栄」（ユムン、yumn）にもつながった（これらの三語根YMNが共通する）と説いている。

――だから、なにもこの地は「幸福」なんかじゃなかった。たんに「右」であっただけだ、「南アラビア」という地理的概念に過ぎないのだ、と。

史実としての「幸福のアラビア」と、調査隊が体験してきた決して楽園なんてもんじゃなかった「不幸のアラビア」。「アラビア」と「幸福」をつなげる言葉なんて、この世には存在するはずがなく、存在させることすら許すまじといわんばかりに、なんとしても「幸福のアラビア」という言い習わしを否定したかったようである。「誤訳」であったと、その語源を説く著者の一節からは、ヨーロッパ人の傲慢さが見え隠れしているようにも思える。

「もしわれわれが風邪（マラリア）をもっと用心していさえすれば、また（略）現地の習慣に合わせていさえすれば、さらに隊員がもう少し相互に信頼感を持ち、猜疑心や反目によって始終不安定な精神状態で旅を続けるということさえなければ、おそらく全員そろってヨーロッパに幸せな帰還をしたことであろう」

ニーブール中尉の述懐である。そう、そのとおりだ。旅が不首尾に終わり、「不幸なアラビア」に見舞われた原因はそこにあって、そこ以外にはないのである。それでも決して「幸福のアラビア」というひと続きの言葉をかれらは頑として受け入れなかった……。

最後に書名がらみでもう一つ――。「探険」という文字。たとえば「南極探検隊」にあるようにふつうは「探検」である。デンマークの学術調査隊であれば、やはりここは「調べる」の意味を持つ「検」が適当であろうと思うが、あえて「危険」の意を強調する「険」が使われている。辞書によれば、どちらであっても間違いではなさそうであるが、一般的には多くない表記である。訳者の意向か、編者の意向か？　それともそもそも無頓着だったか。ちなみに考古学者の江上波夫氏が帯文を寄せているが、こちらの表記は「探検」になっている。いずれにせよ、「険」の旅路にしてしまったのは、繰り返しになるが、その地が「険」であったのではなく、隊員間に飛び交う憎悪の応酬が生み出した、自らの「険」によるものであった。

（2019年3月17日）

# 利他的利己主義

「ハイ、売名です。あなたも…」

『週刊朝日』(2019年3月8日号)の記事から引用された、歌手で俳優の杉良太郎さんが発したひと言が、鷲田清一「折々のことば」(朝日新聞、2019年3月15日)で紹介されていた。

東北の被災地でカレーの炊き出しを手伝っていた杉さんにリポーターがマイクをつきだして訊ねた。

「それって売名ですか」

答えて曰く、「ハイ、売名です。あなたも売名したら? みんな助かるよ」と。

人の行為をさして「売名」といってみたり、「偽善」といってみたり、そうした揶揄がつい口からこぼれてしまう年頃ってあるよなあと記事を読みながら若かりし頃の自分を思い出した。なんらかの打算があるように見えるふるまいや言動に過敏に反応してしまうのは若者特有の潔癖症かもしれない。「この偽善者がっ!」てなことを言って難癖をつけたり、意地悪な気持ちで冷たい視線を送る。ああ、私もそんなことを臆面もなくいいふらしていた時代があった。ここに登場したリポーターも青臭さを漂わせた青年風情だったのだろうか、それともうら若き女性だったのか。

老境に入った今の年頃になると、売名であろうが偽善であろうが、まったく頓着しなくなった。困っている人のためになされる活動は、その動機を詮索することなく、ストレートに賞賛されるべきことだと思うからである。世の中に「善きこと」が増えたのであれば慶賀の至りなのだ。あるいはこういう言い方もできる。偽善すらできなくなってしまった自分に何が言えよう……。

ところで、杉良太郎氏の名誉のために急いでしるしておくけれど、この炊き出し行為が売名であるとか偽善であるとかといった前提でこの駄文のつかみにもってきたわけじゃない。『週刊朝日』の当該記事「もう一つの自分史」を読むと、知る人ぞ知る慈善事業家としての、杉氏の〝実像〟が紹介されている。「私財を投じてベトナムの孤児の里親となり、中国残留孤児を支援し、被災地に駆けつける」。招待された宮中晩餐会でベトナムの要人のなかから杉氏の姿を目にされた当時の皇后様からは「筋金入りのお方ね」と声をかけられた……。生粋の福祉活動家なのである。念のため。

さて、こうした慈善的なふるまいを他者から屈折した評価にさらされることなく、そのままに〝善行〟として認知される社会というのがイスラムかもしれない。イスラム研究者の内藤正典・中田考ご両人による対談集『イスラムが効く!』(ミシマ社、2019年)を読んでいてそう思い至ったのだ。

「善いことをすると天国に入れるし悪いことをすると地獄に落ちるというのが基本」(中田)という明快な教え。最終的に神の前にひとり立って、現世での善悪の割合を査定される。天国か、地獄か。最後の審判である。一対一だから人のせいにはできない。すべてが自己責任において完結する。

たとえば飲んじゃいけないお酒を飲んでしまったとき、今後は「飲まないようにしますと誓ったからといって、善行にはならない。(略)弱い人を助けるという、神が定めている別の善行によって埋め合わせ」(内藤)を心がける。

「クルアーン」は神に対しての誓言に違背したとき、次のように述べている。

「汝らの家人を養う通常の食事で10人の貧者を養え、またはこれに衣類を支給し、あるいは奴隷を1人解放せよ」といった具合である。懺悔や後悔に力点があるのではなく、「今度はよいことをする」という、具体的で前向きな社会性のある行為がまず求められる。

ともあれ、善行の積み重ねが天国への道を準備してくれるということが共通の了解事項であるから、そこに売名やら偽善といった見方がわき上がってくることはない。そもそも売名やら偽善は他者からの目を意識したものであり、ムスリム個々人にとっては何の関係もないことだ。個人が神と一対一で向き合う。そこに他者が入り込む余地はない。「人の言うことは気にしなくてもいい。（略）人がなんと言おうとかまわない。それが基本の基本です」（内藤）

善行の目的はわが身の救済であり、極端に言えば他者のことなんて微塵も考えていないのかもしれない。ひたすら神からの覚えをよくするために善行を尽くすのみである。

それはこうもいえる。利他的利己主義。「なんとしても天国に行きたい」という個人の欲望が社会の善を積み増ししてくれるのだ。なんだかアダム・スミスが唱えた市場原理のようにも見えてくる。イスラム版合成の誤謬《ごびゅう》だ。個々の、好き勝手な欲望の追求の先に「神の見えざる手」に導かれて、社会全体に望ましい資源配分がなされるのだ。

もちろんこのシステムが作動する前提には「来世」への信仰があるわけで、ムスリムは１００％来世を確信している。

（２０１９年5月21日）

## 「正義」って何？

ハーバード大学のマイケル・サンデル教授（哲学）が舞台の上から聴衆を相手に様々なエピソードを題材にして「正義について」を公開討論していく。テレビで放映されていた。……であったが、結局、私は何度か目にはしたもののスルーしてしまって、いったい何が語られていたのかをほとんど知ることもなく、今に至ってしまった。ずいぶん時間がたってしまったが、このたび飲茶氏の新刊『正義の教室 善く生きるための哲学入門』（ダイヤモンド社、2019年）をきっかけに当時おおいに流行ったこの「正義論」を遅ればせながら学んだ。

おそらくどこかで耳にされているだろう、「トロッコ問題」というのが、正義論を起動させるにあたってのイントロ的な、お決まりのエピソードになっている。

いわく、暴走するトロッコの先の線路上に5人がいて、このまま突っ込んでしまうと5人全員が死んでしまう。しかしあなたが目の前にある分岐器のレバーで路線を切り替えれば5人の命は助かる。が、切り替えられた路線の先にいる1人が今度は犠牲となってしまう。５人の命と、本来無関係であった１人の命。さて、あなたはどうするか。

たとえば、医師や医療資源が圧倒的に不足した大災害の現場では、傷病者の緊急度・重傷度に応じて治療の優先順位をつけてゆくトリアージという方法がとられる。文字どおり命を「選別《トリアージ》」する行為だ。しかしこうした手順を踏むことで結果的に生存者数を高めることが可能になる。つまりはなるべく大勢の人間について、その幸福度の総量が最大になるように行動することが「正義」であるとする功利主義的な考え方だ。であれば、トロッコ問題では、５人の命と１人の命を比較考量すれば、１人の犠牲ですむのであればとレバーを操作することが正しいふるまいなのか――。

サンデル教授の著書『これからの「正義」の話をしよう』（早川書房、２０１１年）の目次構成をながめると、本書『正義の教室』とほぼ同じようなアプローチになっている。「最大多数の最大幸福」をめざすことに重きを置く功利主義に依拠して「正義」を考えていくことから始まって、他人に危害を加えない限り個人の自由を極限まで尊重しようとする自由主義的な立ち位置から「正義」のあり方を考察し、さらには超越的な存在（神）のようなものを措定し、そこから善悪を直感することで「正義」を確定しようとする……。そうした一連の流れが「正義論」を進めるにあたっての定石のようである。

本書は、これまでの著者の哲学概説書とはちがって、学園モノの小説仕立てになっている。功利主義、自由主義、直観主義それぞれの立場の役回りを与えられた女子高生3人と、生徒会長の僕、そして倫理担当の教師が対話を繰り返しながら議論を深めてゆく。物語の流れに身を任せながら、ギリシャ哲学から始まって、現代のポスト構造主義までの哲学をも俯瞰し、これまでの哲学者や思想家が「善・正義」をどう捉えてきたか、その流れをざっくりと学べるようにもなっている。このあたりの、わかりやすく哲学史を読み解いてゆく手際の良さは、この著者飲茶氏の圧倒的な力量であり魅力である。

さて、本書冒頭にはもう一つの「トロッコ問題」が登場する。非番の消防士が、保育園に預けている5歳の娘が発熱したので早めにお迎えに来るようにと連絡を受ける。向かった先で目にしたのは燃えさかっている保育園であった。彼は、消防士として、装備もないまま本能的に炎の中に飛び込んだ。揺らめく炎が不気味な生き物のように這い回っている廊下を突き進む。その突き当たりのT字路を右に行けば30人ほどの幼児たちがいる保育室。左に行けば救護室。発熱したわが娘は救護室に寝かされている。さて、右へ曲がって大勢の子どもたちを迎えしたことのある、勝手知ったる保育園である。彼にとっては何度も送り迎えしたことのある、勝手知ったる保育園である。さて、右へ曲がって大勢の子どもたちの救援に向かうべきなのか、左へ曲がってわが子を助けるのか？

消防士として、父親として、人として、どうふるまうべきなのか。何が正しいのか？何が正義なのか？　普遍的な正義は存在するのか？

はて。さて。……その結論はといえば、じつは……ない。身も蓋もないけれど、正義に正解はない、ということだった。

「人間は完全な正義を直感できないし、知りようもない」。ただ「『正しくありたい」と願い、自分の正しさに不安を思いながらも「善いこと」を目指して生きていくこと」、それこそが「人間にとって唯一可能な正義」のありようであったのだ。

消防士がもがき苦しんだすえに選び取った結論。右であっても左であっても、そのどちらかが正解というわけではない。その事後に繰り返し襲ってくる不安と悔悟。消防士の苦悩の中に正義がもたらされるのだった。「どんな「行動」が正義と思えるかではなく、どんな「人間」が正義だと思えるか」

岡田斗司夫氏がサンデル教授の正義論を取り上げたWEB記事（「道徳の時間」）を目にした。そこには、「で、サンデル教授は何が正義だと言ってるの？」なんて、友達に聞いたりしてません？とあった。いやはや、本書を読む前の私だ！

「正義学」ではなく「正義道」であり、「正義や道徳、正しさとは考えたり学んだりするものじゃ」なくて、「それは「修行する」もの」とあった。

正義論は、実践哲学であり、生き方そのものなのであった。

（2019年8月1日）

# 大岡裁きとソロモン王

民法において「○○と推定する」という表現と、「○○とみなす」という表現は、厳格に区別されているらしい。日経新聞のコラム「春秋」（2019年7月29日）で知った。「みなす」は有無を言わせずそのように取り扱うということ。たとえば「未成年者が婚姻したときは、これによって成年に達したものとみなす」（民753）。たとえばその「みなし成人」が不祥事を働いた場合、親御さんが「結婚したからといっても、まだまだ子どもですから……」と抗弁しても、法律上は成年として頑として取り扱われる。いっぽう「推定」のほうは事実でないことが証明されればその推定された事実関係を覆すことができる。そうした違いがあるらしい。

コラムは「嫡出推定」を巡って法制審議会で議論が始まるという記事であった。いちばんの問題となっているのが、「離婚後300日以内に生まれた子」は前夫の子どもと推定する（民772）との規定ゆえに、出生届では前夫を父としなければならず、前夫の戸籍にはいることが手続き上求められる。そのため出生届を躊躇する母親が多く、「無戸籍児」の要因となっている。見直し案は300日以内に生まれた子は、その時点で再婚していれば現夫の子とみなし、再婚していなければ前夫の子とみなす、というものであった。

さて、ひろさちや『どの宗教が役に立つか』(新潮選書、1990年)に、この「みなす」と「推定」を使って興味深い日本人論が展開されていた。

取り上げられているのは「大岡裁き」である。

一人の子どもをめぐって二人の女が「この子はわが子である」と言いつのって譲らない。そこで江戸南町奉行の大岡越前守が女二人に命じる。子どもを真ん中にして「子どもの手を両方から引き合え。勝ったほうに子どもを渡そう」という。二人が両方から引っ張り合うと子どもは「痛い痛い」と泣く。いたたまれず一人の女が手を離すと、もう一人が「これで私の子ですね」と勝ち誇って言った。すると、越前守は「いやあ、お前じゃない。ほんとうの親なら泣く子の不憫さに思わず手を放してしまうだろう」と。

一般には〝名裁き〟として伝えられるエピソードである。

ところが、これに対して著者は「ペテン」だと断じる。実の母親であれば、わが子が泣こうがわめこうが、「どんなことがあっても他人にやりたくはありません。たとえその子が片腕になっても」。こうした言い分もあってしかるべきだろう、と。

つまりはなにが本当であるかなんてそう簡単には決められない。人間にはわからないものがある。一から百までくまなく見通せるなんてことはありえない。そうした領域は神に委ねるしかない。人間が裁こうなんて土台無理な話なのだ、と。

文字どおりＧＯＤ　ＫＮＯＷＳ（神のみぞ知る）の世界観を提示する。

その、神に委ねた裁きの一例として古代イスラエルのソロモン王の逸話をあげる。旧約聖書の「列王記」にある話らしい。

「大岡裁き」と同じような状況にある二人の女と一人の赤ん坊。二人の女のどちらもが赤ん坊をわが子であると言って譲らない。そこでソロモンは「剣を持ってこい！」と命じて、赤ん坊を二つに切り裂いて女二人に半分ずつ分け与えようとした。

一人の女が言う。「この子をあの女に与えてください。どうかこの子を殺さないでください」と。もう一人は「裂いて分けてください」と言う。そこでソロモンが判を下す。

「この子を生かしたまま先の女に与えよ」

よく似た話ではある。が、著者はこの二つの事例は根本的にちがっていると述べる。「大岡裁き」では、いずれが真の母親であるか、その真相を知ろうとしている。綱引きというトリックを使ってまでして。しかも二人の女は真相を知っており、その真相は努力して突き詰めればわれわれにわかるはずだ。そうした前提に立っているという。

いっぽう「ソロモンの裁き」は、真相は神のみが知り、われわれ人間にはわからないという前提だ。二人の女にしても偽っているのではなく、心底わが子であると思いこんでしまっているとも考えられる（そうした思い込みというものはしばしば見られるものだ）。そこでソロモンは真相とは無関係に政治的に対処する。後者の女は「生きた赤ん坊はいらない」といい、前者は「死んだ赤ん坊はいらない」といっている。だからソロモンは前者に赤ん坊をやることにした。これが正しいのかどうかはわからない。ソロモンは、法律用語でいうところの「母親とみなした」わけである。いっぽう大岡越前守は「母親と推定した」。

この越前守に代表されるような、真相を究めようとする生真面目さが日本人にはあり、それゆえに日本人を宗教音痴・無宗教にしてしまっていると著者はいう。

「わからないのであればあとは神さまにお任せする」「そうすれば、神さまの出番がある」「ところが日本人は、行き詰まってしまっても、なおも神さまに出番を与えようとはせず」「なんとか人間の力でやってのけようとする」

「人事を尽くして天命を待つ」というが、決して日本人は天命を待つことなんてしない。「人事を尽くして、その上に人事を尽くす」。努力至上主義に徹して、神さまの出番はないのである。著者はこれを人間主義と呼んでいる。そしてヒューマニズム全盛の時代を憂うのである。

（2019年8月15日）

## バグダードの〝人間の盾〟事件から

6月から9月（2019年）にかけて、国立民族学博物館（みんぱく）で「サウジアラビア、オアシスに生きる女性たちの50年」という企画展が催された。人類学者・故片倉もとこ氏がフィールドワークしていたワーディ・ファーティマ地域（ジェッダから東の方へ60～80キロほどの内陸に位置するオアシス）を中心に、氏が収集・記録してきた、住まいや衣装、装身具、生活用具類などを通して、あるいは50年前に氏によって撮影された写真と、近年追跡調査したさいの最新の写真との比較を通して、現地の生活文化の変容をたどろうというもの。関連イベントとして「片倉もとこの見たサウジアラビア」という演題で「みんぱくゼミナール」（一般向けの講演会）も開かれた。

その講師の一人に片倉もとこ氏の旦那さんである、元駐イラク大使の片倉邦雄氏がパネリストとして参加されていた。伴侶としての片倉もとこ像の紹介も楽しみではあったが、じつは、イラク大使をされていたちょうどそのときに勃発したイラクのクウェート侵攻から湾岸戦争へと展開してゆく、あの時代のことに言及されるかなと楽しみにしていた。

片倉氏の口からは「中東に赴任しますと、ほんとに大きな事件に何度も遭遇します」と述べられたものの、残念ながらそれ以上のことは触れられずじまいであった。「大使館の対応をめぐって当時（イラクのクウェート侵攻時）は批判もたくさん受けました」と言葉を足された程度であった。

――もう30年も前のことだ。覚えておられるだろうか。在クウェート日本大使館の勧告で戦火のクウェートからバグダードに待避してきた日本人200人あまりが空港に着くなり、出迎えた駐イラク大使・片倉氏の眼前で、拱手傍観にして全員がそのままに拉致され、その後、イラクの主要な軍事拠点に〝人間の盾〟として軟禁されてしまった事件を。しかも間の悪いことに、そもそもクウェート侵攻が勃発したまさにその時、駐イラクの片倉大使も、駐クウェートの黒川剛大使もともに休暇中で任地を離れていた。こうした一連の外交的ポカが明るみに出るにつれ世情は沸騰したのだった。

片倉邦雄氏による『アラビスト外交官の中東回想録』（明石書店、2005年）には「甘いといわれてもしようがないが」との前置きで、イラク政府への淡い期待があったとしるす。その根拠として、一つにイラン・イラク戦争時も継続して最大限の経済技術協力を推進してきた実績があったこと、そしてつい数カ月前におしのびで日本を旅行したフセイン大統領夫人一行を手厚くもてなしたこと、そうしたことから日本に対しては特別な配慮があるだろうとの期待があったという。しかし、当時の在京イラク大使の著書には、在クウェートの日本人たちがバグダードへ移送されることになる前から「人質」は既定路線であったしるされており、全くの的外れの期待であったことが今では明らかになっている。

ということで、この事件が一件落着したのちに出版された活字メディアのいくつかから「あの時代」に何が語られていたのかをすこし振り返ってみる。

まずは小室直樹『これでも国家と呼べるのか』（クレスト社、1996年）から。

「大使は、普通の人間ではない。一国を代表して送られる大使は、特命（extraordinary）全権（plenipotentiary）大使である」「『休暇中であった』と普通の人でならば言える。が、大使は、普通でない（extraordinary＝特命の）人である。休暇であろうが何であろうが、つねに、任務中（on duty）である。休暇をとるかとらぬかの決定自体、任務の中に含まれる」と手厳しい。実際こうした危機意識の欠如はその後、1991年のソ連8月クーデターのときも、駐ソ大使は休暇でモスクワを離れていた。歴史的には日米開戦前夜のワシントンの日本大使館もしかり。飲んだくれてしまって宣戦布告が遅れた。肝腎の時に用を足し得ないのは、日本外務省の伝統ともいえる。

久家義之『呆然！ニッポン大使館』（徳間文庫、2002年）によると、「『全権』とは名ばかりで、実際には本省の許可なしには勝手に動けない」というのが実情のようだ。

著者は医務官として在サウジアラビアの大使館に湾岸戦争時に勤務していた。外務省プロパーでないぶん、外部の人間から見ればなんとも奇妙な役人気質であったり、どうでもいいような、外務省村だけにはびこる狭量なプライドのありようが、全ページに遠慮会釈なく見事にあぶり出されていて、読んでいてほんとにうんざりしてしまうのだけれど、なんとも興味深い。

そもそもイラクの侵攻に関する事前の独自情報のようなもの、いわゆるインテリジェンスは大使館には存在しないのだろうか。少なくともわれわれ一般人とはちがう情報ルートをもっていそうに思えるし、そのプロフェッショナルな情報ゆえに「全権」を託されているということなんだろうと思うのだが。久家氏も着任当初は大使館ならではの極秘情報というものを予想されていたようである。イラクの侵攻が始まった頃のサウジ大使館の様子をつぎのようにしるしている。

「政務の書記官はテレビのCNNにかじりついて」「総務参事官は現地職員に情報を取ってこいと指示するばかり」で、「諜報活動をしている人物など、だれもいなかった」。「大使館はただの役所で、館員たちは日本に帰ればただの事務官にもどるふつうの役人にすぎない」。大使館が情報機関であるなんて幻想にすぎないと述べる。そして誰しもがどこかに「イザとなれば、アメリカが助けてくれるだろうと、心の底では頼りにしていた」と。

さて、この〝人間の盾〟事件で、実際に「盾」として120日間イラクに抑留されていた側からの証言の書が最近出版されていたことを知った。当時、住友商事のクウェート駐在員としてかの地に赴任していた池田龍三氏による『大統領（フセイン）の客人』（新潮社、2017年）である。克明なメモをもとにまとめられた当事者の記録である。記述は具体的・詳細で、目配りの効いた観察力、冷静な分析力に裏打ちされ、なによりも、その素人離れした筆力で読み物としても完成度の高い作品になっている。

まず緊急時の大使不在の問題について著者は、「日本国のインテリジェンス機能の限界であり、非難には当たらない」「先を読めていない人に先のことを聞いても答えは出ないということ」と冷めた反応で、過度の期待はない。「中東では三十分先に何が起こるかわからない」という中東ビジネスのベテランの言葉を引きながら、そもそも地政学的リスクの高いところであるからとしるす。

本書の全体を通して意外に感じるのは、外交官も一般日本人もどちらも自らの生命にかかわる「危機」についてある種の楽観が漂っていることだ。さきの久家氏の著作にあったように、いずれアメリカが助けてくれるだろうという期待がある。

つぎのような興味深いエピソードがあった。同じ収容所に人質となっている英国人は早朝のランニングに余念がない。「おまえは運動しないのか。いざというときに、身体が言うことを聞かないと、困るよ」「サッチャーは、俺たちがいようといまいと、イラクを攻撃する。その時は自力で逃げるしかない」

人命よりも国益が優先されることを知り抜いている。いざとなれば砂漠を数百キロ走ってでも国境を越えて脱出するのだと真剣に考えているのだった。現に、イラク軍に後ろから銃弾を浴びせられながらもランドクルーザーで土漠を駆け抜けてサウジへたどり着いた英国人や、小さなボートでチグリス・ユーフラテス川を下ってアラビア湾海上の多国籍軍の駆逐艦に救助されたフランス人など、決死の脱出行を成功させた事例もあったという。

著者も触発されてテニスやらバスケットボールで体力づくりに精を出すのであるが、どこかで「何とかなるサー」の意識は完全にはぬぐえない。

しかし、単純に危機意識が高ければいいという問題でもないのだった。欧米人の人質の中には精神的に参ってしまい食事もとれなくなって病院に搬送される人もいたが、日本人にはただのひとりも心労で体調を崩す人はいなかったという。

「最後は政府が助けてくれる、何とかなるといった、楽観的というか、あいまいな期待感があり、精神がメルトダウンしなかったと思います」。皮肉にも、日本人特有の、人任せのメンタリティーが奏功した。まさに「病は気から」というわけだ。

著者はこの人質事件での日本政府の対応を4点に整理している。

一つに政府は現地へ邦人救援機を飛ばさなかった。憲法解釈の問題やら、戦争当事国の米国への政治的配慮といったものが背景にあったかもしれないとする。二つ目に、在クウェートの日本人を「嘘をついてまで」バグダードに集めて管理しようとした。三つ目に、バグダードの日本大使館員は、人質たちを乗せた、行き先不明のままに走り去っていくバスの追尾を途中で諦めた。四つ目は、〝人間の盾〟になったという事実を日本国内には隠し、報道管制を敷いた。政府の最優先課題は、人質救出にあったのではなく、政府の対応に非難の矛先が向かないようにするところにあったのでは、としるしている。

著者は帰国後、さまざまなニュース番組にテレビ出演を依頼される。そうした機会を捉えて、官民そろっての危機意識の低さを問題提起したかったという。日本からは救援機も飛ばせず、自衛隊は海外で働く日本人の生命を守るための行動を何一つとることもできなかった。日本政府の危機対応の甘さ、対応能力の低さをひっくるめて「日本の安全保障問題」「自衛隊の海外派兵」「憲法改正」について真剣に考えねばならないと。自身の体験談が、そうした議論へのとっかかりとなることを期待した。しかしテレビ側は表層的な政府批判の言質を引き出そうとやっきになるばかりだった。

そして、著者は言う。「政府批判することが報道番組の責務であるような、そのような報道姿勢は「くそ食らえ」であった」

これまた、覚えておられるだろうか。今では様変わりしてしまったが、こういう時代だったことを。政府批判することが、たとえそれが皮相な見方であっても、有理であり、〝忖度〟などというような用語は膾炙しておらず、報道機関は第四の権力として、時として「くそ食らえ」の対象になりながらも、それでもそれはそれなりにジャーナリズムの仕事をしていた。お笑い番組だって権力を笑い倒してなんぼの世界だった。昨今の、政府の広報機関と見紛うばかりの、新聞・テレビの報道姿勢や、時の権力者への〝よいしょ番組〟の増殖に思いをいたせば、なんとも救いようのないうんざり感でいっぱいになる。

いっぽう官民挙げての危機意識の希薄さ加減は相変わらずのようで、ここんところ炎上中の「日韓問題」に関して内田樹氏がつぎのようなコメントをしていた。

「これほど深刻な外交問題を支持率維持の具として政治利用することができるのは「最後はアメリカが収めてくれる」という政府がぼんやり期待しているからです」（ツイッター、2019年9月11日）。アメリカ頼りのほうは30年の時を経ても何も変わっていないようだ。何も変わっていないが、より始末に負えなくなっているように感じるのは、それをいいことにしてか、夜郎自大な、勇ましい物言いが何の憚りもなく巷間溢れんばかりになっていることだ。なんだか、いやな時代だ。

（2019年10月1日）

# 砂漠の思想

「この物語は書き直さなきゃならないんだ。同じことばで、でも右から左にね」

「この物語」というのは、カミュ『異邦人』のこと。その書き直された本が、アルジェリアの作家カメル・ダーウドによる『もうひとつの「異邦人」ムルソー再捜査』（鵜戸聡訳、水声社、2019年）という一冊だ。『異邦人』で主人公ムルソーに殺されたアラブ人（カミュの『異邦人』では名前はなくただアラブ人とだけ表記されて登場する。本書で「ムーサー」という名であったことが明かされている）の、その弟のモノローグで紡がれた物語である。

「（兄ムーサーは）哀れな文盲、まるで銃弾に撃たれて塵に帰るためだけに神がお創りになったみたいだった。自分の名前をもらう暇さえなかった名無しだよ」「彼の話をするのは僕しかいないんだ」

『異邦人』をアラブ人側から反転させて捉え直した作品が、この『もうひとつの「異邦人」』というわけだ。『異邦人』の有名な書き出し「きょう、ママンが死んだ」（窪田啓作訳、新潮文庫、1954年）は、『もうひとつの「異邦人」』では「今日、マーはまだ生きている」となる。「右から左にね」はフランス語ではなくアラビア語で書き直さなきゃならないということだ。ただこれは使用言語を文字どおりに意味するものではないようで、アラブ人の視点からという言い回しだ（著者はフランス語で書いている）。

さて、じつは正直に書くと、この『もうひとつの「異邦人」』を知るまで、『異邦人』がフランス領アルジェリアを舞台にしていたこと、主人公のムルソーが宗主国側のフランス人であったこと、そして殺害された人物がその土地のアラブ人であったこと、さらにはムルソー自身はフランス人といいながら（カミュ自身がそうであったように）ピエ・ノワール（黒い足）と呼ばれる移民者（植民者）であったこと、そうした登場人物の属性やらその歴史性についてまったく無頓着に、いわば無国籍ふうにこの小説を読んでいた。

ムルソーは裁判を経て斬首刑を宣告されるのだが、その死刑判決の根拠になったのは、母の死を前にして涙を流しもせず冷静であったこと、母の享年を正確に言えなかったこと、葬儀の翌日、海水浴に行ったり、知り合いの女性と喜劇映画を観て、その後情交を持ち、喪に服しているようにはとても見えなかったこと……。こうした一連のふるまいが、母を失った人間としてはあるまじき逸脱した行為と見なされ、陪審官の心証をはげしく毀損してしまったのだった。アラブ人を殺害したことが判決の主因ではなかったことは、舞台が植民地であったことを前提にせずにはほんらい理解できないはずであった。

しかし、弁解がましいけれど「太陽のせいで」殺人をおかす不条理性だけが象徴的に汎通性をもって語られていたのだから無理もないのだ。かつて、文芸評論家の中村光夫と、作家の広津和郎のあいだで繰り広げられた「「異邦人」論争」というものがあったようである。邦訳（新潮社）されたその年、1951年のことだ。

広津はこの作品が気に入らなかったようで「心理実験室での遊戯」ではないかと批判的であった。つまるところ生活感の希薄な、嘘っぽさにいらだったようである。おそらく「私小説」ではない、その虚構の作風が気にくわなかったのだろう。いっぽう中村はそうした批判に対し、カミュのもくろみは「既成の人間関係のワクに対する反逆」であり、知的に構成された「実験」によって、現代の都市社会が普遍的にもつ不条理性をあぶり出したとして評価したのだった。

やはり、この論争においても、両者は観念上の「実験」的現代文学作品としての前提に立っており、具体的な土地や、植民地に生きる人々、その歴史的背景への目配りはない。無国籍なのである。舞台が植民地であるゆえの具体的な状況やら、支配者・被支配者の関係性を不問にして、純粋に「文学という閉塞した領域のなかだけで〈文学〉をどう考えるか?」の一点に集約されている。

ところがここに花田清輝がわってはいる。新日本文学会の大会でのことであったらしい。

いわく「射殺されたアラブ人の立場からものを見ろ、その立場から論じた人が一人でもあるか」と。まさに『もうひとつの「異邦人」』を先取りするかのような、一撃の言明であった。

さて、もうひとつ同じような舞台設定の物語をしるす。フランス領レバノンに暮らすフランス人医師と、その地で印刷業を営むアラブ人のあいだで繰り広げられた復讐劇『眼には眼を』という映画作品である。

安部公房『砂漠の思想』（講談社、１９７０年）に収められた、書名と同じ「砂漠の思想」と題された評論でその映画『眼には眼を』が取り上げられている。１９５７年、フランスのアンドレ・カイヤット監督の作品。名作の誉れ高い作品だそうだが、初めて知った。過日ようやくこの廃盤となっていたＤＶＤを手に入れた。

すこし長いけれどあらすじを書く。

レバノンのある町の病院に勤務するフランス人外科医ヴァルテル。多忙な一日を終え、その夜自宅で寛いでいると、アラブ人のボルタクが急病の妻を連れてくる。しかし、車で20分ほど先の病院へ行って診察してもらうようにと伝え、ヴァルテルはボルタク夫妻を追い返してしまう。その後、病院へ向かう途中ボルタクの車が故障してしまい、ボルタクは重篤な妻を抱えて何キロも病院まで歩かねばならなかった。さらには病院での研修医の誤診も重なって、その妻は命を落としてしまったのだった。そこから、ボルタクのヴァルテルへの復讐が始まる。ストーカー行為を繰り返し、夜間には無言電話をかけるなど、ボルタクの執拗ないやがらせにヴァルテルは苦しむことになる。あげくボルタクが仕掛けた巧妙な罠にはめられてヴァルテルは砂漠へおびき出される。そこから、ヴァルテルはボルタクとともに砂漠をさまよいながらダマスカスを目指すことになるのだった。ぎらぎら照りつける灼熱の太陽のもと激しい乾きに苦しみながら二人の奇妙な砂漠行がえんえんと続く。「ダマスカスはあの山を越えたところです」「あの谷の向こうです」というボルタクの嘘に何度も何度もヴァルテルは翻弄され続ける。行けども行けども、ダマスカスに着かない。

逆に砂漠の深みへとますます引きづり込まれてゆくのである。ヴァルテルの精根尽き果てて意識朦朧となった様を見てボルタクはほくそ笑むのだった。しかし、ボルタクのほうも力尽きつつあり、後事を託すそぶりで、彼はヴァルテルに「この方向に進んで、あの峰を越えればダマスカスです」「今度こそ本当です」と指をさすのだった。ヴァルテルはその方向へよろめきながらも最後の力を振りしぼって歩き出す……。

カメラがせり上がっていって、鳥瞰的なポジションからの映像に変わる。そこには広大な荒れ地をひとりふらふらと歩を進めるヴァルテルが映し出される。ヴァルテルが進んでいく方向の先にあるのは、どこまでも続く荒れ果てた土漠と、そこに折り重なるように波打つ岩山の峰々だった。アラブ人ボルタクの、死を賭した復讐劇の最終幕がおろされようとしている……。ボルタクの狂ったような哄笑が響きわたるのだった。

安部公房はこの「砂漠の思想」で、医者ヴァルテルがボルタクの診察の頼みを断わる映画前半部分から、後半に繰り広げられる苛酷な砂漠行へと持ち込むにはその必然性に欠けるところがあるのではないかと指摘し、「見せかけは復讐劇であっても、実は一種の運命劇、カミュ流の不条理におちこむ結果になってしまうのではないかと懸念した」と書く。

しかし作品の原作者ヴァエ・カッチャがアルメニア人であることを踏まえて、すぐに言い直す。それは、植民地の民衆心理についてレーニンが引用したロシア農奴の「旦那の怒りも、旦那のお慈悲も、どの悲しみより先に、とっとと失せてくれ」に通底する「徹底した不寛容さ」ではなかったかと。被支配者の根深い憎悪にこそ思いを至す必要をいうのだった。あるいは、「かつて白人は、砂漠に来て涙をながし、その悲しみを訴えれば許されるものだと思いこんでいた。主人が、絶望して涙まで流すのだから、召使いはそれをみて同情しないはずがない。ところが召使いは嘲笑って、その横っ面をひっぱたいてしまったのだ」とも。ことは「不条理」に落とし込んでしまってはいけないのである。

そして問うのだった。私たち日本人の立場は、「いったいヴァルテルだろうか、それともボルタクなのだろうか?」と。

「眼には眼を（歯には歯を）」は、紀元前18世紀のバビロニアの王が制定した「ハンムラビ法典」に由来する規定であるが、その意味するところは「同害報復」である。つまり過剰な刑罰や報復を禁ずるものであった。眼をつぶされたからといって命まで奪っていいというわけではないのだ。今日の罪刑法定主義の起源とされる。

さて、この映画の場合、「同害報復」のバランスはとれているのだろうか。妻の死と、その遠因となった医者の無関心に対して、その医者の死を、自身の命を擲ってでも求めようとする男の復讐心は、バランスするのか。つまりは、その復讐は許されるものなのか、ということだ。映画の作品に切り取られた時間では過剰かもしれない。それはまさに〝不条理〟であったかもしれない。しかし、植民地に生きてきた被支配者側の歴史的文脈から捉え直した視点ではどうだろうか。

安部は「私たちは、旧満洲の荒野や、朝鮮の岩山で、ヴァルテルのような運命にあった日本人をえがいた映画を一本でももっているのだろうか」「日本人の意識水準はボルタクどころか、ヴァルテルであったことさえ、まだはっきりと気づいていないのかも知れないのである」とするす。

「『異邦人』論争」がなされたのは1951年。戦後まもない時期であったことに思いをいたせば、たしかに恥ずかしいほどに無自覚で、無邪気な文学論争であった。花田清輝に指摘されるまで誰一人としてなんの気づきもなかったのだ。

１９６９年には五木寛之がエッセイで次のように記している。

「『異邦人』とは、単に観念上の問題ではなく、アルジェリアに生まれ育ったフランス人植民者が、国籍上の祖国に対する違和感と、生まれ育った風土の土地から拒絶されているという、宙ぶらりんの人間、引揚者としてのカミュの立場そのものではないか。私たちはいわば圧制者の一族として、朝鮮半島にあったが、その中にも、日本本土における階級対立のステレオ・タイプはそのまま存在した。貧しいゆえに外地へはみ出し、その土地で今度は他民族に対して支配階級の立場に立つという、異様な二重構造がそこにはあった」（『深夜の自画像』文春文庫、１９７５年）

五木は引揚者（植民者）の経験から、『異邦人』の舞台が植民地であったことを当然のごとくに読み込んでおり、さらには自身がボルタクであり、ヴァルテルでもあったことを自覚的に見事にあぶり出している。興味深いことに安部公房も引揚者（植民者）であったし、花田清輝も戦前満州に渡っている。「無国籍」な越境者だからこそ、無国籍な虚構性に淫することはないのだろう。

（２０２０年１月13日）

## ジハーディストか、ニヒリストか

飯山陽『イスラム2・0』（河出新書、2019年）の「2・0」はコンピュータのOS（オペレーティング・システム）のバージョンにならったもので、「イスラム1・0」がアップデートされた、次世代バージョンを意味する。ひと昔前だったらこういった認識の枠組を指し示すさい「パラダイム」と呼び習わしていたように思う。パラダイムであれば、コロケーション的には「シフト」となるが、その場合劇的変化をともなうコペルニクス的転回ゆえに過去との決別になってしまう。いっぽうOSやバージョンの場合は「アップ」させるゆえに俯瞰的な立ち位置を担保しているイメージから、継続性を保持した概念のようにも思える。

こういった使われ方をはじめて見たのは、経済学者の松尾匡氏の「レフト3・0」（『そろそろ左派は〈経済〉を語ろう』亜紀書房、2018年）という表現だ。1970年代あたりから現在までのここ50年ほどの左派・リベラルの変遷を「OSバージョン」で表現したのだった（最近、目にしたものに「ストライキ2・0」という言い方があった。労働問題のバージョンを示すのかな?-)。

さて、「イスラム2・0」は「レフト3・0」とは違って、ずうっとスパンが長い。イスラム教が興った7世紀から20世紀いっぱいまでのおよそ1400年のあいだ連綿と語り継がれてきた「イスラム教についての知識」をイスラムOS「1・0」と規定した。そして2000年あたりを境にそれ以降を「2・0」とする。それは、インターネットが普及し、SNSやらYouTube、Googleなどの利用で一般信徒の「イスラム教についての知識」がアップデートされたというわけだ。

「1・0」時代の一般信徒のイスラムの知識は、「モスクで聞く説教や近所の法学者への質問を通して」得たものだった。「それは必ずしも啓示の文言に忠実な知識ではなかった」という。識字率の低さもあり自力で「コーラン」や浩瀚な「ハディース」(預言者ムハンマドの言行録)を読み込んでその教えを一般信徒が正しく理解していくというようなことはそう簡単にできることではなかった。そのため、啓示に書かれている本当のことは一般信徒には知らされないまま、一部のイスラム法学者たちだけが独占してきた。時の権力者に取り入った法学者や宗教エリートたちは「神の言葉」を曲解・歪曲して、信徒たちを都合良く飼い慣らしてきた。これが「1・0」の時代であったと著者はいう。

しかし、インターネット時代の到来で、信仰に関して不明なことがあれば、コンピュータの前でググればたちどころに適切な啓示テキストへアクセスできるようになった。法学者をたよる必要もない。YouTubeなどではタレント並みに人気のある説教師がわかりやすくイスラムの教えを説いてくれる。そうした情報に接しているうちにこれまで学んできた教説と、啓示そのものとの齟齬に気づき始める。イスラム1・0への不信の芽生えである。欺瞞と歪曲に満ちあふれた言説に長い間惑わされていたことにインターネット時代の信者たちは気づいてしまった。著者の言い方にならえば「ネタバレ時代」になった。

たとえば「ジハード」という概念についてその意味の変遷をみてみると——。

そもそもは、イスラムの教えが行き渡った、ムスリムたちの世界（ダール・ル・イスラーム）を拡大していくための軍事行動であり、異教徒の侵略から信仰共同体（ウンマ）を防衛するための戦いでもあった。さらには「啓示に違背するような統治をすすめる世俗主義者や不信仰者」と見なされる独裁者や君主を打倒するための革命やクーデターをも意味した。非ムスリムに対してのこうした一連の暴力的な殺傷行為（聖戦）がジハードの原義であった。「コーラン」の説くところは、「不信仰者を友としてはいけない」（4章144節）、「不信仰者と出会ったときはその首を打ち切れ」（47章4節）である。「明らかに神はイスラム教徒に対し、異教徒と戦うように命じている」のである。

しかし、これは為政者にとってはいささか都合の悪い概念であった。「一般信徒がジハードの教義をふりかざして世俗権力者に反旗を翻して」、挙げ句、暴動や革命を起こされたり、暗殺の標的にされるなんてたまったもんじゃない。だから現状の体制を安定的に維持していけるように権力者と法学者が手を組んで巧妙にジハードの意味をずらしてきた。

近代以降のイスラム法学者は「自分の心の中にある弱さや悪と戦う」といったふうにジハードを「内的な努力」と定義して、「道徳訓」としての意味合いで説いている。対外的にも意味の転換は求められた。非イスラム世界を敵と見なして戦争を推奨することは、さすがに時代錯誤で、好戦的なイスラムを振りまくことにもなって得策でない。

しかし、インターネット時代の到来で、「啓示コンシャス」になった一般信徒は「啓示通りに異教徒への敵意を強め、攻撃を実行するようになった」と著者はいう。

つまり原理主義的になった。「コーラン」を神の言葉そのものと捉え、「神聖不可侵」にして一字一句を言葉通りに受け入れることを良しとするイスラム教徒にとって「原理主義的であることは完全に善であり正義」となる。啓示に忠実であればあるほど、異教徒や不信仰者の「首を打ち切る」ことが良しとされるのだ。昨今のイスラム過激派によるテロ行為の正当性が啓示によって担保されているかぎりイスラムの過激化はこれからも免れないだろうというのが本書著者の見立てである。

16世紀、グーテンベルグの活版印刷の発明で、聖書が大量に印刷されるようになって宗教改革が引き起こされていく流れと似ている。一部の聖職者が写本でしか読めなかったギリシャ語聖書がローカル言語にどしどし翻訳され、大量に本となって流通してくると、誰もが聖書を手に取ることができるようになる。結果「啓示コンシャス」になっていく。教会が一般信徒向けに販売していた贖宥状（免罪符）の正当性がじつはどこにもなかったことが判明するにいたってルターによる宗教改革の幕が切って落とされたのだった。当然ここでも聖書の文言に忠実な原理主義的潮流が生まれてくる。プロテスタントの誕生だ。このプロテスタンティズムから「資本主義の精神」が涵養されたと説くのがマックス・ウェーバーであるが、イスラムの原理主義は暴力的なジハーディストを涵養したというのである。

昨今のイスラム国やら、世界中で勃発するイスラム過激派によるテロ事件の背景を、こうした「イスラムの過激化（原理主義化）」に求める立場に対して、「過激性のイスラム化」という、まったく逆のベクトルからの論考がある。

フランスの政治学者オリヴィエ・ロワ『ジハードと死』（辻由美訳、新評論、2019年）では、テロリズムの発生について「イスラームが過激化したのではなく、現代的過激性がイスラームのなかに入ってきた」と読み解く。膨大な数のテロリストたちのプロファイルを分析することを通して、現代若者の「ニヒリスト」像を摘出した。

「断固たる死への希求」と結びついた「未来なき」「反逆する若者」世代、そのかれらによる「世界秩序に対する世界規模の反乱」として捉える。ひとときの「極左」と構造的には変わるところがないと指摘する。中国の紅衛兵や、日本赤軍、カンボジアのクメール・ルージュなどに共通するのだ。かれら極左が革命をめざすマルキストであったというよりは、反乱のための反乱を企てる若者たちであったように、イスラムを標榜するテロリストも暴力そのものが目的である、と。だから特別に信仰が深いわけでもない。多くが促成の改宗者で、その意味では「信者にちがいはないが、サラフィー主義者（初期イスラームへの回帰を唱える厳格派）とはいえない」。つまりムハンマドの時代への憧憬を抱くような歴史観・宗教観はほとんど持ち合わせておらず、無知ですらある。もちろん「コーラン」を読むための古典アラビア語に通じているわけでもない。自爆死することが目的であり、「きわめて現代的なヒロイズムと暴力の美学」の実現に宗教的文脈を借用して自己を演出する。この一連のシナリオ化に「大義をあたえているのがイスラーム」であると。

著者はいう。「宗教の過激化」という表現は適切ではない、なぜならこのテーゼが成立するのであれば、「穏健な宗教とは何か」を定義しなくてはならない。つまるところ、「穏健な宗教というものはない、穏健な信者が存在するだけだ」と。

（2020年3月28日）

# タタールの幻影

1960年代テレビで活躍していた外国人タレントのひとり、ロイ・ジェームスさんがタタール人だと知ったのはつい数年前のことだ（朝日新聞「ハラールをたどって（3）」2018年6月6日）。てっきりアメリカ人だと思っていた。というか、当時小学生であった私は外国人と見ればアメリカ人という呼称以外に頭に浮かぶものがなかったのだから無理もない。もちろんタタールなんてことを教えてもらったところでイメージのしようもない。ロイさん一家はロシア革命後に日本へ亡命してきた白系ロシア人であった。

1920年代日本へやって来た白系ロシア人にはスラブ系とトルコ系があり、トルコ系はタタール人と呼ばれイスラム教徒であった。ロイさんの父親は東京回教礼拝堂（現・東京ジャーミイ）の導師を務めていたという。

このタタールという民族名はじつにややこしい。いろんな文脈でその意味するところが微妙にずれていたりする。しかも自称・他称が入り交じってその出自が見極めにくい。

現在国名にタタールを冠しているのはロシア連邦のタタールスタン共和国。ヴォルガ川の中流域に位置する。もともとこのあたりは13世紀モンゴル帝国に征服され、そのブランチであるキプチャック・ハン国が支配していた地域。いわゆる世界史で習った「タタールの軛《くびき》」というやつである。この文脈ではタタール＝モンゴル系となる。しかし現在そこに住むタタール人は、フィン人やハンガリー人などの先住民と、のちに移住してきたトルコ系民族との混血であるそうだ。モンゴルを意味するタタールという呼称を政治的に名乗ったといえそうで、民族的にはトルコ系ということになるのだろう。ロシア側からすればイスラム教徒を総じてタタールと呼んだようでもある。

日本ではタタールのことを中国由来の「韃靼《だったん》」と称することがある。司馬遼太郎と井筒俊彦の対談（『二十世紀末の闇と光』中公文庫、２００４年）で小説『韃靼疾風録』の「韃靼」という用語が話題になっているのだが、司馬氏はここでの「韃靼」はツングース系の「女真族」を意味すると述べている。いっぽう青年時代の井筒氏がイスラームとアラビア語の師として言及している2人のタタール人のことは「トルコ人（トルコ系）」と紹介している。いわゆる反ボルシェビキの白系ロシア人である。こちらはヴォルガ川流域のタタール人ということのようだ。

そもそもタタールという呼称は、6世紀半ばから8世紀半ばにかけてモンゴル高原をすっぽりと収めた広大なユーラシアを支配していたトルコ系遊牧民国家突厥がモンゴル高原の東北で遊牧をしていた諸部族を「タタール」と呼んだらしい。意味するところは古テュルク（トルコ）語で「ほかの人々」という。その「ほかの人々」が、のちに東は満洲の地から、西に向かってモンゴル、中央アジアを経て、東ヨーロッパまで、ユーラシア内陸部の東西にまたがって、他称から「私たち」へと転じさせていった。人種的にいえば、モンゴロイドからコーカソイド、あるいはその混血、濃淡あいまってバリエーションに富む。

ふぅー、なんだかややこしい。

さて、さきに述べたキプチャック・ハン国を建国したチンギス・ハンの孫バトゥのヨーロッパ遠征（1241年ワールシュタットの戦い）での残虐非道ぶり（モンゴル軍は敵方を倒した印に鼻をそぐしきたりがあり、一説には27万人の鼻をそいだという。ただこの会戦は史実ではないという説も）から、ヨーロッパ人にとってのタタールのイメージはきわめてわるい。ラテン語で「エクス・タルタロ（地獄から来た者）」のタルタロの連想からモンゴル人をタルタルと呼び習わしたともいわれている。「蛮族・夷狄」の意であろう。タタールを想起させる呼称である。

さて、そんなわけで「タタール」のわかりにくさがずーっと長いあいだ個人的に引っかかっていたところ、つい最近『タタール人の砂漠』（岩波文庫、2013年）という小説に出合った。もちろんこの「タタール」という言葉に惹かれてのことである。作者はディーノ・ブッツァーティ（1906-72）というイタリア人作家。恥ずかしながらまったくの不案内である。あとで知ったことであるが、カフカの再来ともいわれた高名な作家であった。ともかくも小説仕立てでタタールを学べたらという私の浅知恵は、なんとなれ、じつはいい意味で大きく裏切られることになったのだ。

こわい物語である。とくに私のように還暦を過ぎて読むと致命的ですらある。いくつかのレビューにこの作品は青春時代に読むべしなどとアドバイスされているのを見たが、そのような若かりし頃に読んだところでその後の人生の展開が違ったものになっただろうか、はなはだ疑問にも思えるのだが、いやいや、老境に入った輩のたんなる負け惜しみか。ともあれ、これほどに身につまされる思いに駆られた小説体験はこれまで、なかった。

あらすじはきわめて単純でである。これといった事件は、何も起こらない。じつは、そのことこそがこの物語の主題である……。

士官学校を卒業したばかりの新人中尉ドローゴが国境警備の任を受けて辺境の地にあるバスティアーニ砦というところに配属される。そこは「無用の国境線」といわれるほどに軍事的にも歴史的にもほとんど意味を持たない国境地帯。砦の北側に荒涼たる「タタール人の砂漠」が広がっているだけ。陸の孤島である。敵が砂漠の向こうから攻めてくる可能性など微塵も考えられないし、そうした記録も過去に認められない。「戦略的にもどんな作戦計画からも除外された、単なる仕切りにすぎなかった」。つまりあってもなくてもいい砦なのだった。

「タタール人とはまたどうして？」「大昔には（タタール人が）いたんだろうよ。伝説さ。砂漠のむこうに渡った者なんかいやしない」「じゃあ、砦はこれまで一度も役に立ったことはないんですか？」「なんの役にもな」

物語の最初のほうでやりとりされる会話である。この段階で「タタール」は主題ではないことがはっきりとわかったのであるが、タタール云々なくしても、この物語にぐいぐい引きこまれていくことになってしまった。そう、事件らしい事件が起こるわけでもなく、ドラマティックな人間模様が繰り広げられるわけでもない。ただただ不必要なほどに過剰で、滑稽なほどに無意味な軍規にしばられた、兵舎での耐えがたい、単調な日常の繰り返しが、たんたんと描かれるだけなのに。

主人公のドローゴ中尉だって、着任早々にこの無用の長物の砦で青春をむなしく費やすなんてごめんだ！と考える。彼は4カ月をめどに転属願いを出すことにしたのだった。4カ月後に予定されている健康診断の機会に軍医に「心臓の機能障害」という診断を作文してもらうことにしたのだった。これでうまく事が運べば軍歴に傷をつけることなく、ここからおさらばできる。そう計画し、軍医の同意も取り付けた。なのに、ぎりぎりになって心変わりするのであった。理由づけはいくつもあった。「習慣のもたらす麻痺」「軍人としての虚栄」「身近に存在する城壁に対する親しみ」……。

ともあれ「単調な軍務のリズムに染まってしまうには、四か月もあれば充分だった」のである。その背景には、若者がしばしば持つ、未来に有する無尽蔵とも思える、たっぷりと用意されている〝時間〟への期待とおごりがあったのだ。

そして英雄的な空想にふけるのだった。砦が何千というタタール人に包囲される。彼はわずかな部下を引き連れて果敢にも突撃を決行する。重い傷を負いながらも激しい戦闘を指揮し、最後には敵を壊滅する。国王みずからが彼の働きを賞賛している……。

そうした夢物語を夜のしじまに何度も何度も反芻しながら気持ちを高ぶらせるのであった。しかし、夢物語は夢物語以上のものではなく、いくら待っても実現の可能性はないのだった。

空漠としたタタール人の砂漠の向こうを毎晩凝視しながらいつかはやって来るであろう敵を待つのだった。冷静になればそんな馬鹿げたことは起こりようもないのだが、「ずっと先で栄光をかちうることができると思い込み」、「まだまだ時間は無限にあると信じて」、

「いずれすべてが充分に報われる日が来る」と考えている。

……そして、ドローゴの手持ちのページは何ページも何ページもめくられ、「尽きせぬ幻影」を追いかけて、何事も起きないままに30年の時が過ぎた。いまは少佐に昇進し、砦の副司令官となった。人生の盛りはとっくに過ぎ去ってしまった。しかも退官まであと数年というところで、肝機能の障害に苦しむことになり、日ごとに衰弱していくのであった。

時すでに遅し。もう今となっては英雄譚なんぞ望むべくもない。しかし、最後の最後にドローゴは病魔とともに襲いかかってくる「エクス・タルタロ」との戦いに臨むのであった。「全生涯を賭しうる最後の戦い」である。生死の狭間で、はたしてドローゴは運命に一矢を報いることはできたのか⁉　まことに傑作である。


（2020年5月23日）

## 西サハラの〝忘れられた戦争〟

第5回イスラーム映画祭（2020年）の上映作品のひとつ、西サハラを舞台にしたドキュメンタリー映画『銃か、落書きか』（スペイン、2016年）を観た。

19世紀末から20世紀初頭にかけて欧州列強はアフリカ地域を恣意的に分割し植民地化した。「アフリカ分割」といわれるものだ。その結果、西サハラ地域はスペイン領となった。そのスペイン本国で長期にわたって独裁体制を敷いてきたフランコ総統の病状悪化が伝えられると、スペイン恐るるに足らずとばかりにモロッコは35万人の自国民を西サハラへ一気に越境・入植させて、瞬く間に実効支配を確立してしまう。1975年のことだ。以来、西サハラはモロッコに不法占拠されたままの状態が続いている。アフリカ最後の植民地である。

映画は、もともと西サハラの地に住むサハラウィと呼ばれる原住民たちによるモロッコ政府への抵抗運動の記録である。反モロッコをアピールする、サハラウィたちの集会やデモをモロッコの官憲（私服）が暴力的に取り締まっているシーンがいくつも流される。街のならず者による暴力沙汰かと見紛うばかりの荒っぽさである。すべて隠し撮りされたものだ。

映画タイトルの「銃か、落書きか」は「武装闘争か、非暴力闘争（独立を求めるメッセージの発信）か」を意味している。

1991年国連の仲介によって西サハラの民族自治権を認める和平案が採択されて、サハラウィたちは武装闘争を停止した。以降、銃や火器による戦闘はない。独立か、あるいはモロッコへの帰属かを決める住民投票の実施がそのとき約束されたのだが、投票権を持つ「住民」の定義をめぐって西サハラ側とモロッコ側の合意が見られず、なんの進展もないまますでに30年近くの時が流れてしまっている。いまのところ「非暴力（落書き）」の戦法をとっているが、独立へのわずかな展望さえ見いだせずいたずらに時間だけが過ぎていくこの現状に、若者たちのあいだでは、武装闘争（銃）への転換を望む声が日ごとに大きくなっていると映画は伝えている。

西サハラには2002年までインターネットはもちろん、国際電話さえなかったといわれる。サハラウィたちの抵抗運動は国外にほとんど知られないままであった。モロッコの徹底した監視と統制によるものであろうが、皮肉なことに「非暴力」ゆえにニュースとして取り上げられてこなかったことも一因であろう。いずれにせよ「西サハラ問題」はこれまで可視化されることはなかった。「忘れられた戦争」と呼ばれる所以である。

最近でこそサハラウィたちはメディア班なるものを立ち上げてモロッコによる弾圧の実態をインターネットを使って積極的に発信している。抑圧された自分たちの存在や主張を映像で世界に訴える。この映画作品もそうした流れのなかで成立しえたのだろう。


さて、私がそもそも「西サハラ問題」のことを知ったのは、高野秀行『世にも奇妙なマラソン大会』（集英社文庫、2014年）という一冊からだ。著者が深夜インターネットでたまたま見つけた「サハラ・マラソン大会」の案内ページ。ほろ酔い気分のままマラソンの経験なんてほとんどないにもかかわらずワン・クリックでエントリーしてしまう。「サハラでマラソン」に即座に反応できる、ノリのいい人物はおそらく著者以外にはそうそういないと思う。主催者からは「費用は850ユーロ。マドリッド空港第4ターミナルに19日午後9時集合」とだけを伝えるおおざっぱなメールがあって、ともあれサハラ砂漠を目指して物語は始まる——。

マラソンが実施されるのはアルジェリア国内。アルジェリアは唯一西サハラを支援している国である。西サハラの亡命政府（サハラ・アラブ民主共和国）もアルジェリア内にある。そのアルジェリア西端の国境近くに西サハラから逃れてきたサハラウィたちが住む難民キャンプがある。その難民たちがホストファミリーとなって、外国からのランナーたちの世話を焼く。マラソン大会への参加者は、外国人が500人以上、サハラウィが400人以上、アルジェリア人が80人以上ということらしいが、誰も正確な数字はわからない。主催は市民ボランティアの団体である。モロッコが占拠している西サハラ地域の窮状や、住民に対する人権侵害の実情をマラソン大会を通じて国際社会にアピールしていくことを目的とした活動であるが、どこか牧歌的でユーモラスな印象を受けてしまう。

……足は痙攣し、よろめきながら走っては歩き、歩いては走る。やっとたどり着いた給水所で若いサハラウィの女の子たちから声援を受ける。それが元気の素となって、初めてのフルマラソンなのに完走してしまう……。そして著者は気づくのだった。

「頑張っている西サハラの人たちを応援しているつもりだったが、（略）私たち外国人がへろへろになり、西サハラ人が支援ボランティアに回っているのだ」。知らない間に立場は逆転して、書名どおり「世にも奇妙」なマラソン大会なのであった。

著者ならではのエンタメ的サービス精神たっぷりの短編であるが、「西サハラ」問題が簡潔にわかりやすく解説されていて知らず知らずのうちにその社会・歴史が学べてしまう。これまた高野作品の魅力である。

もう一冊。台湾の三毛《サンマウ》という女性作家による『サハラの歳月』（妹尾加代訳、石風社、2019年）という作品にもふれておきたい。砂漠に魅せられた三毛が、スペイン人の夫とともに暮らした西サハラの生活記である。1975年以前のスペイン領西サハラを舞台にした作品群が本書前半部の「サハラの物語」である。14本の短編が収められている。原題は「撒哈拉的故事」。

結婚したばかりの三毛と夫ホセは「墓場区」と地元で呼ばれる、原住民サハラウィが住むディープなエリアに家を借り、隣人たちからは「アイロン、貸して」「電球、貸して」「玉ねぎ、ちょうだい」「マッチ、貸して」……、と傍若無人な来訪に振り回されながらも親しく交わっていく。すこしでも渋ったりすると「あんたは私を拒絶して、私の誇りを傷つけたのよ」。サハラウィは誇り高き人々なのだ。毎日が振幅のはげしい喜怒哀楽のただ中で、輝かんばかりの命の躍動にあふれ、読んでいるとこちらまで青春の一コマに投げ込まれたような楽しい気分になってくる。

ところが1975年をさかいに「砂漠の光と熱」と著者自らが表現した前半部の物語から「砂漠の影と涙」と形容する悲痛な物語へと暗転する。「哀哭のラクダ」という後半部に収められている作品群だ。原題は「哭泣的駱駝」。

スペインの勢いも風前の灯となってて撤退がささやかれるようになってきた。国連の査察団がやって来てからは、民族自決のかけ声が澎湃として日ごとに大きくなってくる。武装闘争を目指すゲリラ活動も活発化してくる。

「スペインを追い出せ」「独立万歳！」。駐留スペイン軍の兵士が殺されたり、時限爆弾が仕掛けられたり、不穏な空気が街中にみなぎっている。戦車があちらこちらに入り込み、夜間には戒厳令が敷かれた。その混乱に乗じて北からはモロッコの脅威がいよいよ現実化してくる。風雲急を告げるのだった。

「モロッコ国王ハッサンは、志願兵を募集した。明日より、スペイン領サハラに向かって平和行進を開始する」。テレビのアナウンサーの沈痛な声が流れると、状況は一変した。

スペイン政府は、マイク放送で自国の婦人と児童の国外退去を呼びかけた。だれもが空港へと急いだ。航空会社のオフィスは外国人でごった返し、街はもぬけの殻となった。

いっぽうサハラウィのあいだでは、早々にモロッコの国旗を掲げてモロッコ側に媚びを売ろうとする輩、モロッコ軍に戦いを挑もうとゲリラに入隊する者……、これまでの隣人同士が敵味方となって疑心暗鬼が吹き荒れる。そんなとき、三毛たち夫婦が親しくつきあってきた砂漠の一族にあまりに惨い悲劇が起こる。混乱に乗じて民衆裁判にかこつけて私怨を晴らそうとするごろつきに、かけがえのない親友が衆人環視のなか公然となぶり殺されるのだった……。物語は、三毛の声にならない、天を切り裂かんばかりの悲鳴の中で終わる。

これらの作品群は、著者の生まれ故郷の台湾はもちろん、香港、大陸中国、東南アジアの中国人社会などで熱狂的な支持を得た。

西サハラのサハラウィの暮らしや社会を知るうえで貴重な民族誌になっているし、スペイン領からモロッコ支配への移行期の、激動する社会が活写され、今にいたる「西サハラ問題」前夜を扱った歴史的な記録にもなっている。

ところで、映画『銃か、落書きか』の上映会場に本書『サハラの歳月』の訳者である妹尾加代氏が観客のひとりとしてお見えになっていた。映画祭の主催者から簡単な紹介がなされたが、すこし時間を取ってお話を聞く場を設けてもらえればよかったのだが。

（２０２０年10月13日）

# 収奪者を収奪せよ！

「拝金主義より 自分を見つめて」（朝日新聞夕刊、２０２０年12月16日）という見出しで中野孝次『清貧の思想』（草思社）が取り上げられていた。１９９２年の刊行。その３年前にバブル経済がはじけ飛び、経済の潮目が変わりつつあった時期である。投機やら財テクに狂奔した資本主義に決別して「われわれ祖先が作りあげた―清貧の思想―」のなかから、「新しいあるべき文明社会の原理は生まれる」と説く。ああ、あったよなあ、この本、と懐かしく記事に目を通した。

あの当時、つまり90年代前半は、経済的に落ち込んだとはいえ社会にはまだまだ余力はあった。記事は、文芸評論家の斎藤美奈子氏による、現時点からの『清貧の思想』に対する批評を紹介している。曰く「バブル崩壊期の典雅な寝言」「拝金主義に眉をひそめていられるのは、やはり「豊かな時代」だからなのだ」と、とりつく島もなくぶった切っている。ほんとうにそのとおりだと思う。

１９９０年代前半以降、経済はデフレ懸念の状況をさまよい、97年に消費税の増税（３

%→5%）を機にデフレ基調へとしっかりと舵がきられ、今に至る長期低迷の起点となった。さらに2014年に再び消費税の税率がアップ（5%→8%）されて、デフレは完全に固定化されてしまう。もうじゅうぶんに青息吐息の状態であるにもかかわらず、おかまいなしに19年10月に再度のアップ（8%→10%）を決行。当該年度第3四半期（10－12月）の実質GDPを前年比年率換算でマイナス7・1%と記録的に落ち込ませてしまい、さらに間の悪いことに、年が明けて20年前半からはコロナ禍に見舞われ、周知のとおり日本経済は瀕死の状態である。

需給ギャップが58兆円（2020年4－6月）ともいわれ1980年以降過去最悪の状態らしい。巨額な需要不足に対して、とりあえず打つべき手は、いの一番に消費税の撤廃しかありえないと思うけれど、この4月から商品価格の税込み総額表示が義務化されることは決定済みで、その見直しの兆しも見れらない現在、ほぼ絶望的である。

このたび松尾匡『左翼の逆襲』（講談社現代新書、2020年）を読んで、ああそういうことだったのかと初っぱなに気づかされたことは、いま直面しているどうしようもなく劣化してしまった経済状況について、私たちが取り組まなければならない問題の所在は変わってしまったということだった。それは、経済学的知見からの「傾向と対策」を論じる段階は終わったということ。つまりは新自由主義やら、リフレ策やら、緊縮・反緊縮、MMTなどなどの理論やらロジックの、これまでの是々非々をすべて前提とした上で、政財界の支配層にあるエリートたちはこれからの進むべき方向について、すでに確信的に決定済みということだった。経済学的論点を云々するステージではもうないということである。

このコロナ禍を奇貨として、ゾンビ企業を淘汰し、生産性の低い産業分野は国内生産から撤退（消滅）させて、効率よく海外からの調達に切り替え、そのためには円の価値を高く揺ぎないものにすべくプライマリーバランス（PB）を早急に黒字化し、将来にわたって高付加価値を追求できるグローバルな産業部門へ集中的におカネを投下していく。こうした方向が政策決定者側の、有無を言わせぬ大前提になっているということだった。

昨秋このコロナ禍の真っ直中に麻生財務相から2025年までにPBの黒字化を目指す（2020年11月19日）というコメントが発表されて、心底「あほちゃう?」と思ったが、賢愚は別として、とりあえずは本気なのだということはわかった。そこにはデフレや需要不足を克服するための経世済民的な視点はまったくもってない。少子化に歯止めがきかない国内市場などはとっくの昔に見限ってしまっているということだ。

国内需要をいかに喚起するかなんてことは端から視野にはない。需要サイドや中小零細企業に配慮するような経済政策は出し惜しみ、大企業を中心とした供給サイドに重心のかかった政策しか想定されていない。当然消費税を軽減するなんてことも考えない。相対的貧困率の悪化が問題視されているが、経済格差の是正なんて世迷い言となる。これからは地域帝国主義的にグローバル企業で海外から稼いでゆく。これが人口減少時代の、淘汰路線を公言する管政権が主導する「政財界の合理的な大方針」というわけだった。そして問われているのは、この方針に乗るのか乗らないのか。その分岐点に私たちは今まさにあるのだということ。そして、「ほんまにそんなんでええのん⁉」ということだ。

著者の主張は、書名どおり「左翼の逆襲」の提言だ。しかしこの「左翼」の様態にはいくつかのフェーズがある。ひと昔の前の、1960年から70年代の左翼（これを著者は「レフト1・0」と呼ぶ）とは打って変わって、今の左翼は「経済」を語らない（あるいは語れない、あるいは語りたくない）。左翼という言い方も一般的ではなく、「左派リベラル」（「レフト2・0」と呼ぶ）なんていうほうが最近では通りがいい。

レフト1・0の左翼が、社会主義革命を目指さないまでも、私たちの眼前に出現しているのは階級社会であるとみなし、労働者の経済的豊かさを追求する労働組合運動が中心課題であったのに対し、レフト2・0においてはそもそも労働者という主体は消え去っている。労働生産現場からは遠ざかって、反生産主義的ですらある。主体は「市民」と呼ばれるようになる。「女性、障碍者、ＬＧＢＴといったマイノリティとの共生とか、承認とか、多様性とかいったアイデンティティ・ポリティクス」に焦点が移り、市民運動やNPOなどによる相互扶助的な共同体主義やコミュニタリズムが中心課題となっていく。そもそも経済は成長し続けなければならないか?という問いかけが当然のようになされ、「経済を拡大させる必要もない、景気対策もしないほうがいい」という、これまでの「成果をぞんざいに扱う」物言いでこの長期不況下に生み出されてきた多くの非正規労働者や、貧困者、生活困窮者への目配りを怠ってきた。すくなくとも逆進性において大いに問題が指摘されている消費税に関して声をあげている左派リベラルと称される方は寡聞にして存じあげない。

現下において求められるのは、頼りにならないレフト2・0からレフト3・0への移行である。「「収奪者を収奪せよ」という哲学への回帰」と著者は提言する。

レフト1・0への回帰こそがレフト3・0の進むべき道であるとする。やりたい放題のリヴァイアサンそのものと化した国家権力に対して、ついにロック由来の抵抗権の実力行使だ!と、すこし胸が躍ったのだけれど、さすがにそういうわけにもいかない。著者も「大声で言いたい気もするけれど、そうもいきません。というわけで、現代的な解釈、理由づけが必要になる」と述べて、企業や資本家が生身の個人の命と自由をどの程度毀損してしまっているか、そこへの賠償保険料的な考え方で「収奪」を説く。

具体的な手法は課税のしくみのあり方になってくるのだが、一個人の人生への影響力（コントロール）の多寡によってその負担額を決定していくことを求める。組織や富裕層は、その行使する影響力は当然累積的に大きくなってくるので、これまで必要以上に下げてきた法人税をきちんと高くすることや、所得に応じたメリハリの効いた累進課税というシステムが正当化されるという理屈になっている（課税・再分配正当化論理）。

換言すれば、今とられている施策を真逆にせよということだ。著者は「ここには共同体主義的な同胞助け合い論理は一切必要ない」ということをあえて強調して付言している。「コントロールできない勝手な意思のために被害を受けるのは不当だという、「生身の個人」を主人公にした疎外論、そしてそれと対になる、自由な意思決定の裏には責任がともなうという理性的個人の側の責任論、徹頭徹尾こうした個人主義的な立場だけから正当化理論」を導いていると結んでいる。

（２０２１年1月11日）

# ラクダは信頼できるか

英国の連絡将校であるT・E・ロレンス率いるベドウィン族で構成されたラクダ部隊が、オスマン帝国の占拠するアカバ湾を背後から攻撃すべくネフド砂漠を行軍している。映画『アラビアのロレンス』（デヴィッド・リーン監督、英米合作、1962年）の有名なシーンだ。灼熱の太陽に完膚なきまでに焼かれた砂礫の荒野を、兵士たちがラクダの背に跨って渇きと熱暑で意識朦朧となりながら進軍している。いつしか睡魔に襲われてしまった一人の兵士、ガーシムがラクダから振り落とされてしまう。しかし、まわりの誰も気づかない。蜃気楼と熱風に吹き上げられる砂塵に視界もままならず、見渡すかぎり地平線に囲まれた、茫漠たる砂漠のどこかにガーシムは置き去りにされてしまったのだった。部隊はガーシムがいないことに気づく。救助に向かおうとするロレンスをベドウィンの兵士たちは引き留める。「これがガーシムの運命なのだから仕方がない」と。しかし、ロレンスは彼らの意見を受け入れることなく、単身命がけで救助に向かうのだった。そしてガーシムをぶじ連れ帰る……。この一件でロレンスはベドウィンたちから信頼を獲得し、そして彼らが信ずるところのイスラム的宿命論を乗り越えてみせたのだった。

物語的には重要なエピソードが盛り込まれている場面なのだが、ここでは些事ながらラクダに注目したい。映画の本筋には関係ないことではあるけれど、ラクダが気になる。ガーシムを乗せていたラクダは、荷が軽くなったことにこれ幸いとばかり（と私には思えた）、何食わぬ顔で隊列の行進に合わせて歩を進めていた。そのラクダの態度に少なからず私はショックを受けたのだ。ああそういうものなのか。この薄情さといったら。

上温湯《かみおんゆ》隆『サハラに死す』（ヤマケイ文庫、2013年）を読んだとき、このラクダ隊のシーンがふいに思い出されたのだった。著者は1974年サハラ砂漠横断にチャレンジした、当時22歳の青年。西アフリカのモーリタニアのヌクアショットからアフリカ東海岸のポート・スーダンまで7000キロあまりの砂漠地帯をラクダ1頭を相棒に踏破するという計画を立てた。本書は、ノンフィクション作家の長尾三郎氏が上温湯青年の手記をもとに構成した作品である。

さて、このラクダ「1頭」は遊牧の民からすれば狂気の沙汰であった。スペアがない！

職業的な冒険家ではない。高校を中退して、ヒッチハイクをしながら50あまりの国々を旅してきた。サハラ砂漠を縦断した経験もある。だから、プロではないが素人ではない。すでに豊かなサハラの知識と旅の経験を身につけた若者である。そして、この冒険を成功させた暁には、受験勉強に注力し大検を受けて早大クラスの大学に入り、卒業後は国連で働く。人生設計も明快だ。受験への焦りや不安が随所に正直に吐露されていてその点では多くの受験生と変わるところはない。サハラ横断は、その目標に向かう前段階としてどうしてもやり遂げておかなければならないと考えている。

「青春の旅は人生の原点なのだ」としるす。2度チャレンジした。1度めはラクダが過労で死んでしまった。5カ月かけてヌクアショットから3000キロ東へ進んだニジェールのメナカ近くでのことだ。ここまでの行程だけでも比類なき偉業であり、「人生の原点」としてじゅうぶんではないかと私は思うのだけれど、彼は東海岸に到達しない限り満足しない。そして再びチャレンジする。メナカから出発して残り4000キロの行程を完遂することが目標だ。しかしメナカの東方130キロ付近の砂漠で、ただ1本しかない小さな灌木の下で渇死していたのを遊牧民によって発見される。出発してほぼ2週間後のことだった。ラクダはいなかった。装備を担いだまま逃げてしまったようなのだ。2度めの挑戦のために買ったラクダは「(略)若く、気性が荒っぽく、買った当初は手こずりました。(略)木の影を恐ろしがり、動かなくなることもある。かと思うと、驚いて急に走り出して、頭から振り落とされたこともしばしば(略)」。最初のラクダが病死してしまったことからか、選んだ2頭めは元気が良すぎたか。それが結局あだとなったのかもしれない。

映画『アラビアのロレンス』の元となったT・E・ロレンス『知恵の七柱』（柏倉俊三訳、東洋文庫、1971年）にラクダの選択において次の記述がある。

「資産のあるアラブ人は牝ラクダ以外には乗らない」とある。穏やかな性格、辛抱強さが持ち前らしい。牡は「怒りっぽく、疲れたとなると身体を投げ出し、単なる憤怒からその要もないのに死んでしまう始末である」。なんと「憤死」してしまうのだ。

『奇跡の2000マイル』（ジョン・カラン監督、豪州、2013年）というオーストラリアの砂漠を舞台にした映画がある。20代半ばの女性が単独で4頭のラクダと愛犬とともに約3000キロの砂漠を横断した実話をもとにつくられたもの。このラクダ4頭のうち1頭は子どものラクダである。子どもを連れていくことで親ラクダが逃亡しづらくなるという。アボリジニのラクダ使いからのアドバイスによるものであった。そもそもラクダには逃避癖があるのだ。古代アラビアの時代、呪術師（カーヒン）たちの巫術の一つにギヤーファ（失せもの探し）というものがあったそうで、これこそラクダの居所を当てることがその内容であった。ラクダは逃げるのものなのだ。

映画では朝目覚めるとラクダたちが勝手に移動してして彼女が慌てふためく場面があった。彼女はラクダを見つけると棒でこっぴどく何度も何度も容赦なく打ちつけたのだった。

上温湯青年は最初の旅においても何度もラクダが行方不明になる経験をしている。ラクダの習性は重々承知のはずである。彼の手記を読み進むにつれ「人とラクダの友情」はそもそも成立するのかということが私は気になっている。彼は1代目、2代目のラクダにともに「サーハビー」という名前をつけている。アラビア語で「わが友」という意味だ。

写真家の野町和嘉氏が夫婦でサハラを巡っていたとき、ニジェールの首都ニアメイで上温湯青年にたまたま出会っている。その時のエピソードが野町氏の著書『サハラ縦走』（同時代ライブラリ、岩波書店、1993年）に収録されている（「ラクダ君の死」）。「お互いの〝サハラ狂い〟に呆れ、話題は尽きるところを知らなかった」。そして彼のラクダに対する気持ちが自分たち（野町夫妻）とまるで違っていたことに驚くのだった。「彼はラクダを単なる動物としてでなく、友として、自分と対等に見ていたのだ」。実際、彼は2回めの出発にさいして、まずは1代目サーハビーのお骨拾いに向かっているのだった。ご馳走の2羽のニワトリを手に入れたとき、彼は鳥に末期の水を飲ませて言った。「僕には殺せませんから、向こうの見えない所で殺ってください」。あまり優しすぎる青年の心根とその激しい冒険心との乖離が意外だったと述べる。

野町氏はその著書のなかでキャラバンに同行したとき隊列から遅れだした弱ったラクダを殺すシーンを紹介している。ラクダは、イスラム教徒の作法に則ったやり方で、頸動脈を一気にかき切られて屠られる。仲間のラクダたちが見守るなかで。

「仲間から遅れだしたそのとき、ラクダは殺される。人間とラクダの暗黙の了解だった」としるす。かつては人間でさえも動けなくなれば置き去りにされ、隊商は振り返ることもせず歩み去ったたという。「情に流されてしまったのでは、さらに別の命を危険にさらす」ということだった。それが砂漠の、非情の掟であった。

野町氏はここで、北極圏で単独犬ゾリ行を成功させた冒険家、植村直己氏がソリ犬について述べている記事を紹介している。……犬は愛玩用ではなく〝労働犬〟であること、働きが悪ければムチで叩き、棒で殴る。エスキモーは犬が少しでも反抗しようものなら殺して食べてしまう。「人間と犬との緊張関係を崩してはならない」「これが鉄則だ」と。

そして上温湯青年の死について「明暗を分けたのは、この動物の扱い方ではなかっただろうか」と野町氏は述べる。「人間はいつも動物の支配者でなくてはならない」。そのことが生き延びる唯一の方法であったはずであると。

「人とラクダの友情」は成立するのか。いや、そもそもそういう問いの立て方自体が、野町の言う、「日本というまったく異質の風土に培われてきた目」で砂漠を「一編の小説」として了解する態度そのものであった……。


（2021年6月1日）

## およそ人間に関わることで私に無縁なことは一つもない

1890年、オスマン帝国の軍艦エルトゥールル号が紀伊半島の沖合で悪天候の中、岩礁に衝突し難破するという海難事故があった。地元の警察隊や住民たちによる懸命の救助活動がなされたが、乗員650名中587名が死亡するという大惨事となった。義心に駆られた山田寅次郎という、当時24歳の熱血青年がその犠牲者への義捐金を自ら募り、はるばるオスマン政府まで届ける。山田は熱烈に歓迎され、時の皇帝アブドゥル・ハミト2世から士官向けに日本語教育を要請され、国賓待遇でかの地に滞在することとなる。その後、皇帝から様々な便宜を図られ、イスタンブールを拠点に日土貿易の事業にも乗り出し、結局第1次世界大戦の勃発まで通算して約20年にもおよぶ滞在となった。この山田が、梨木香歩『村田エフェンディ滞土録』（角川文庫、2007年）に登場する。舞台は19世紀末のイスタンブールである。

当時のオスマン帝国は「瀕死の病人」と形容されるほどに、「飢えたハゲタカのような欧羅巴列強の餌食」となって断末魔の苦しみにあった。だから、明治維新を経て近代化に邁進し、列強に伍して国力をつけつつある、遠く極東の日本に対して「尊敬の念と親近感」を多くのトルコ人は抱いていた。山田ら現地に滞在する日本人にとってはいい時代であったわけだ。皇帝が両国の友好をさらに深めんがため日本人学者1名をトルコ文化研究（考古学）に招聘することとなる。そこで選抜されたのがこの物語の主人公、村田エフェンディ（エフェンディはトルコ語で「先生」の意）という設定である。物語の背景は史実にのっとったものであるけれど小説（フィクション）である。念のため。

おもな登場人物を紹介しておくと――。

村田先生が下宿する屋敷のオーナーは英国人のディクソン夫人。娘一家に付いてこの国へやって来た。娘夫婦が英国へ戻ったあとも夫人だけがこの地にとどまり、下宿屋を営みながら、ムスリマの婦人たちに英語仏語を教えている。信心深いクリスチャン。多様な文化のあり方をバランスよく受け止め、宗教・民族の違いを乗り越えて互いを尊重し合おうと心がける博愛主義者。ときに西洋的価値観からの優越的・啓蒙的な押し付けがましさを感じさせないでもないが、悪気はない。明治男の村田がとても喉を通せそうにない、異国の料理を前にとまどっていると小さな声で「文化ですから」と村田にささやく。知的で面倒見のいい女主人である。

村田のほかに下宿人として若い考古学者が2人いる。ひとりはドイツ人のオットー。すべてに理が先行する、合理精神の権化である。神は古代イスラエルの部族神から「出発した」もので、人間社会のありように応じて変容し、社会が滅びたとき、その神も滅びる。「つまり（神とは）関係性の産物ですから」とあっけらかんと発言し、ディクソン夫人を陰鬱にさせてしまうことも。

もう一人の学者はギリシャ人のディミィトリス。ギリシャ正教徒。滅びゆくビザンツの悲劇性に耽溺するロマンチスト。哲学的で箴言めいた、含蓄のあるフレーズをぽつりと口にしたりする。考古学談義に夢中になる学者3人に「何がそんなに楽しいのか」とあきれるディクソン夫人に、「人は過去なくして存在することは出来ない」と誰に言うともなく呟いて、村田先生を大いに感動させてしまうことも……。

そしていま一人に、料理人兼雑用係のトルコ人のムハンマドがいる。誇り高き回教徒。にわか仏教徒である村田はこのムハンマドから仏教の教えは何かと問われ、大いにうろたえてとりあえず「慈悲」と答えを絞り出したところ「異教徒にしては悪くない」とほめられる。すぐさま夫人からは「口を慎みなさい、ムハンマド」と叱責が飛んだ。図らずも多神教的なふるまいをみせてしまう村田にムハンマドはどこか上から目線である。

このムハンマドが通りで拾ってきた1羽の鸚鵡がいる。物語では実に重要な役回りを担う。人間たちの会話に間合いを計って天才的なひと言を大音声で叫ぶのだ。ディミィトリスの気の利いた哲学的な物言いには「悪いものを喰っただろう」とがさつな声色で皮肉を飛ばし、憤怒に満たされるともううんざりとばかり「It's enough！（もういいだろう）」とドスをきかす。機嫌がいいと「友よ！」と甲高く、不穏さを感じると「いよいよ革命だ！」と騒ぐ。ときにはラテン語で「ディスケ・ガウデーレ（楽しむことを学べ）」なんて哲学者セネカの言葉を発する。人間嫌いの学者の家に飼われていたのだろうというのがムハンマドの見立てである。かなりのインテリ鸚鵡である。

物語は、これら女主人と3人の下宿人に下男、そして1羽の鸚鵡を中心に展開する。宗教や伝統、因習の違いを超えた、村田とその周辺の面々との交流が清々しい。ディミィトリスの名台詞を借用すると、「私は人間だ。およそ人間に関わることで私に無縁なことは一つもない」（ちなみにこのフレーズは古代ローマの劇作家テレンティウスの言葉だそう）という、コスモポリタンな関係性で成り立っている、若き仲間たちの物語である。青春時代特有の屈託のない、うらやましいばかりの日々が描かれる。

さて、村田が帰国して7～8年後のこと。ディクソン夫人から手紙でディミィトリスが（ギリシャ人であるにもかかわらず!?）青年トルコ人革命に身を投じて命を落としたという知らせを受ける。

さらに時を経て数年後——。村田は大学内の派閥やら政治力学に翻弄され、生活と世俗に倦み、「疲弊し孤独」な日々にある。「スタンブールがどんどん遠ざかって行く。私は焦った」「出来たらもう一度、（略）彼の地へ行きたい」「オットーと遺物を間において、心底語り合いたい」。そんな思いに駆られている最中に、ディクソン夫人からこんどはムハンマドとオットーの戦死を知らせる便りが届く。第1次世界大戦である。世界は変わってしまっていた。それは村田に青春の終わりを告げるのだった――。

そしてその数カ月後、若き日々を共にした今は亡き仲間たちと、唯一のつながりを証明してくれる、あの鸚鵡がディクソン夫人から船便で送り届けられる。「どうか、この鸚鵡を貴方の懐かしいスタンブールだと思って受け取ってください」と。

鳥籠に被された布を取り払うと、中には鄙びた工芸品のような、生彩を欠いた物体が、止まり木に身じろぎもせず乗っていた。

「いや、やはりこれがあの鸚鵡なのだ」「歳を取ったのだ」

そして、鸚鵡はゆっくりと目を開けて村田を認めるや、突然甲高く叫ぶのだった。

何を？

それは読んでのお楽しみに。私はこの下りが好きで何度も読み返しては反芻した。素敵なエンディングだ。

この小説にはいろんな小さな物語の断片が散りばめられている。それらが最終的にすべて回収されることなく、言い方は悪いがとっちらかったままに、不思議な余韻を残したままに終わる。何十年もの時が経ってから、当時の様々な欠片がパズルのように組み合わさって、おぼろげに事の顚末がわかってくることがある。わからないままのことも、気づかないままのことも、当然ある。いかようにでも展開を想像することも可能だ。これこそが「青春」というものが胚胎する、ある種優柔不断な〝ポテンシャル〟なのだろう。物語の構成上、このあたりの塩梅がほんとうに見事に散りばめられていて得心させられる。

本書は「永遠の名作青春文学」と紹介されているが、私のなかでもこの村田先生の物語は最強の「青春文学」、お気に入りの一冊である。

（２０２２年１月23日）

# 象とタブー

"the elephant in the room"という言い回しが英語にあるそうだ。「部屋の中に象がいる」。この部屋に集っている誰にとっても（象がいることは）周知の事実ではあるけれど今この場でそれには絶対触れちゃあいけない、そうしたタブーを意味するらしい。たとえば同窓会の集まりなどでつい最近離婚した女性がいたとする。その場では「離婚」をテーマにしない。気まずい話題をさける。彼女の「離婚」はみんなにとって過剰なほどの話題性をもつものであるのだけれど、ここに踏み込むと〝場〟が凍りつく。好奇の心根を押し殺し口を閉ざす。しかしながらそのトピックの持つ祝祭性は見て見ぬふりをしてやりすごすにしては、あまりに強烈すぎる。そうした過剰さを表象するには「象」という規格外に巨大な存在でなければとても引き受けきれない……。

1551年、ポルトガル国王ジョアン3世からオーストリア大公マクシミリアン2世へ婚儀のお祝いとしてインド象が贈られることになった。ジョゼ・サラマーゴ『象の旅』（木下眞穂訳、書肆侃侃房、２０２１年）は、その象とインド人の象遣い、護衛の騎士団、象のための飼葉と水を運ぶ荷車隊からなる一行（途中から大公夫妻も加わる）の、リスボンから雪のアルプスを越えてウィーンまでの、ロードムービー風の物語である。

「日常に象がひょっこり現れるなんて、そうそうあることではない」。象の一行は沿道の野次馬たちにいたるところで歓呼の声に迎えられる。この「象の旅」は史実であるそうだが、そうであればその旅程となった町々には今も語り継がれる逸話がたっぷりと残されているにちがいないだろう。しかしながら、ほとんど記録が残っていなかったらしい。だからなのか、象遣いにこうしゃべらせている。

「象は、大勢に拍手され、見物され、あっという間に忘れ去られるんです。それが人生というものです、喝采と忘却です」、「象と人間に関しては、そういうものですよ」と言いながらも唯一の例外としてインド人らしくヒンドゥー教のガネーシャ神を挙げるのだった。

練り物で造られた最初のガネーシャがパールヴァティ女神に生命を吹き込まれたものの、シヴァ神の怒りを買って首をはねられてしまう。しかしその首に象の頭を繋げたところ、ガネーシャは息を吹き返した。

来歴をそう話す象遣いに、騎士団の一人が「作り話だな」と呟く。すると象遣いはこう言うのだった。

「そのとおり、死んでから三日後に生き返った人（イエス・キリスト）の話と同じですね」

「気をつけろ、言葉がすぎるぞ」と隊長が警告した。

象遣いは作家ジョゼ・サラマーゴの分身だ。随所にサラマーゴの無神論者としての真骨頂が炸裂する。

そもそも象の名前からして不遜だ。「ソロモン」である。旧約聖書の「列記王」に記される古代イスラエルの王。史実どおりの名なのか、作家の創造なのか。さらにそれが途中から物語では大公によってイスラム風の呼称である「スレイマン」に改名される。時代背景からすれば東方で敵対していたオスマン帝国の10代皇帝の名をなぞったか。

ときにカトリックが重宝する「奇跡」創造の舞台裏を描く。プロテスタントの勢力に一矢報いるためにカトリック側は民衆を圧倒させる「奇跡」を今まさに必要としていたのだった。

「ルターだ、あやつは死んでなお我らが聖なる教会に大きな打撃を与えているのだ」

そこでカトリックの神父は、象が恭しくアントニオ大聖堂の前で跪く「奇跡」を画策する。神父からその「演出」を依頼された象遣いは調教に精を出すのであった。これが成功すれば、「われらの時代の大きな奇跡の一つとなろう」とのたまう神父に象遣いはこう応えるのだった。

「わたしが思うに、世界のすべてが創造された、それが総じて一つの奇跡であり、それで奇跡は終わったのではないでしょうか」と。

「さては、お前はキリスト教徒ではないな」、「告解をせねばならぬぞ」と神父は威圧するのだった。

こうした辛辣なキリスト教批判や皮肉たっぷりのおしゃべりが全編に散りばめられている。この作風ゆえに、なにかとポルトガル国内では物議を醸してきた。『イエス・キリストによる福音書』という作品ではイエスを生身の人間として描いたことから、教会関係者の逆鱗に触れ、事実上禁書扱いなのだそうだ。著者はポルトガル語圏では初のノーベル文学賞受賞という栄誉に恵まれながらもスペインに移り住んでいる。

ところで「ジョゼとピラール（Jose e Pilar）」というタイトルで作家サラマーゴの日常を追いかけた、興味深いドキュメンタリーフィルム（約2時間）がYouTubeで公開されている（ピラールとは妻の名前）。「訳者あとがき」で告知されている。このフィルムを見れば作家サラマーゴの無神論者ぶりは斟酌なしで、徹底的に直截的だ。

「教会へは6歳のとき行った。嘘ばかりだと思い、母に言った。もう行かない」「それっきりだ。何の不足もないし、死も怖くない。地獄も永遠の罰も怖くない」「全くの大ぼらだ」「悲劇的な狂言だ。神はどこにいる？　天国と言ったものだが天国などない。どこにもいない。ただの空間だ」「未来永劫、神を信じない」

ここまで言うかっ！というほどの激しい発言にあふれている。

読者からの便りが紹介されていた。「異端審問があったら、あんたが火あぶりになるのを見に行ったのに」。クリスチャンでない私であってもその気持ちはわからないでもないと思えるほど。

衆人環視のもとエレファントが同行し「部屋の中」にどーんといるはずなのに、それどころじゃなくて、象よりもかえって〝場〟のほうが過剰に賑やかなのがこの作品の魅力かもしれない。ほんらい象が受け持つべき「過剰さ」を、サラマーゴの語りの一つ一つがそれ以上に、規格外の「過剰さ」をもって迫ってくるのだ。象に表象されねばならないようなタブーは、この段にいたっては、もうない。象はいないのだ。

数千キロを歩き通してウイーンにたどり着いた象は、その2年後に死んだ。その皮は剥がされ、前脚は切り取られて鞣され傘立てとして宮殿の入り口に備え付けられたという。「結局、人生に特別な意味などないのだ。実に哀しい最期だ」（サラマーゴ）

（2022年4月3日）

# 古代人の景色

ガイ・ドイッチャー『言語が違えば、世界も違って見えるわけ』（椋田直子訳、ハヤカワ文庫、2022年）を目にしたときは、今さら感を覚えなくもなかった。言語と世界の関係は、東洋哲学の知見からはもうとっくの昔に結論が出ている。私たちがふだん目にしているこの経験的な現象界に立ち現われている「存在」は、私たちが恣意的に言葉でもって区切った結果、生まれてきたのだということに尽きるのだった。だから、言語が違えば、言い換えれば、区切り方が違えば、この世界（経験的現象界）は違って生まれてくるし、当然見え方も変わってくる。違って見える「わけ」は、区切り方にある。

哲学者・井筒俊彦はこうした区切りを「分節」と呼んだ。原初の無分節状態の絶対的存在を恣意的に言葉でもって区切る。するとその一区切りが一つの「もの」や「意味」として表象されるのだ。このようにいくつにも区切りがなされて分節化がすすんでいって、私たちを取り巻いている森羅万象が現前しているというわけだ。イスラームのスーフィズム（神秘主義）の立場からは、リアリティをもって「存在」しているのはその宇宙に遍在する、絶対無分節の形而上的実在のみとされる。なにも区切りをもたない。分節以前のたった一つの絶対的存在。それが一つ一つ言葉でもって区切られてこの世の万物が生まれてきた。それらはただ単に言葉で区切られただけに過ぎず、それぞれの分節内に固有の本質があるわけではない。一つがすべて。すべてが一つ。だから「花が存在する」のではなく、「存在が花する」という表現が可能になるのだった（井筒俊彦『イスラーム哲学の原像』岩波新書、1980年）。たまたまに「存在」が「花」に分節されただけで、花という、独自の固定的な本質が顕現したというのではない。「花」であっても「石」であっても「存在」そのものは偶有性に過ぎない。

　こうしたことを仏教の「空」の哲学からアプローチすれば、私たちの目に映るこの世界を空《くう》じて、空《くう》じて、空《くう》じつくしたその先に、言い換えれば幾千万にも分節された私たちの世界を無分節状態の根源へと遡行していけば、最後は「無」にいきつくのだった。色即是空。個々の「存在」は縁起によって全体的な関連性の中で表象されたイメージに過ぎず、個々の実体はない。イスラームの神秘主義において遡行的極限の一点が唯一の絶対的存在リアリティに収斂するのに対して、仏教における遡行的極限は雲散霧消して「無」に帰する。究極のかたちは違えども世界は分節されることによって個々の「存在」があたかも実在するかのようにふるまうのだった。

……ってなふうにわかったようなことを書いてしまったが、生半可な知識で本書の第一章を読みかけていきなり一撃を食らった。

古代には色がなかったか？という テーマであった。ここでいう色は色即是空の「色」ではなく、文字どおり即物的にカラー（色彩）そのもののことである。7色の虹がお国によって5色になったりすることはよく耳にする。しかしこれだって色名（言葉）で5つに区切るか、7つに区切るかにつきるわけであるけれど、ただ本書のアプローチは言語哲学的に読み解いていくのではなく、実証科学的手法で検証していくやり方なのだった。ちょっと勝手が違うぞ。

そもそもは、英国の著名な政治家であり、かつホメロスの叙事詩（『イリアス』『オデュッセイア』）の研究家でもあったグラッドストン（1809－98）の手になる『ホメロスおよびホメロスの時代研究』（1858年）という大部の著作に始まる。その第3巻に収められた「ホメロスの色彩感覚と色の使い方」という章で、ホメロスの作品には、色の描写においてどこか奇妙なところがあることを指摘しているのだった。

「ホメロスと同時代人たちは世界を総天然色というより、白黒に近いものとして知覚していた」というのである。『イリアス』や『オデュッセイア』のなかでの表現に、海は「葡萄酒（すみれ）色」と形容され、羊は「厚いすみれ色の毛に覆われて」おり、同様に鉄も「すみれ色」であり、蜂蜜は緑色になる。総じてホメロスの作品内の描写にはきわめて色彩に乏しい特徴があることを指摘するのだった。古代ギリシャ人は全体的に色弱だったのか!?

当時、グラッドストンの発見にたいして同時代人たちは十把一絡げに「詩的許容」として、あるいはホメロスが盲目であったという伝説的解釈でもって一蹴した。

グラッドストンの解釈はこうだ。

「色彩の秩序ある体系に目が慣れて」いってはじめて様々な色彩が知覚できるとする。「色彩知覚の訓練」「目の教育」を受けず、「自然の色に行き当たりばったりに接するだけでは」世界は天然色として立ち現われてこないというのであった。

幼少時、24色のクレヨンを与えられて、そこから世界を24色に区切る（分節する）ことを学び、その後漸進的に色覚が向上していって、ついには天然色の世界が意識されてくるという理屈であろうか。

であれば「「異境に住む未開の人々」が謎を解く鍵を握っているかもしれない」と考えられた。ベルリン人類学会の創設者であるウイルヒョーが1878年、ヌビア人を調査したところ、かれらは「「青」を表す言葉を持たず、青い毛糸をある者は「黒」、ある者は「緑」と呼んだ。黄色、緑、灰色を区別せず、この3つを同じひとつの単語で呼ぶ者もいた」。

区別しないだけで、色の違いが見て取れないわけではない。様々な「未開」とされる種族を対象に色とりどりの毛糸の束から同じ色を選別させるという色覚検査を実施したところ、誰もが正しく選ぶことができた。つまり、どれほどに「未開」であっても、「目の教育」を受けておらずとも、すべての種族が間違うことなく多様な色彩を識別できるということだ。ナミビアのオヴァヘレロ族は緑と青を見分けられるが、「同じ色の濃さが違うだけなのに違う名前をつけるのは馬鹿げている」と考えるらしい。必要があれば分節するが、必要がなければ分節するまでもないということだ。

ホメロスの叙事詩に戻ると、あれほどの詩人でありながら色彩描写がほとんどない——、その不思議がきっかけで始まった問題提起であった。

「詩人を自負しながら「緑の草地とかなたの紺碧の空」に詩想をかきたてられたことのない者がいるだろうか」「「ヒナギクの青いスミレ」「銀白色のタネツケバナ」「黄色いキンポウゲ」が「牧草地を喜びで染め上げる」季節の歓喜を歌ったことのない詩人がいるだろうか」「ゲーテは、可視の自然全体に広がるさまざまな色彩の魅力には、誰も無感覚ではいられないと書いた」

しかし、こうした発想そのものが〝近代〟に引き寄せた物言いになってしまっているのではないか。古代人において自然の豊かな色彩を叙景する精神なんてそもそもなかったのだ。

それは、初期万葉の時代には「叙景歌」というものはなかったと、あの碩学白川静が喝破したのではなかったか。古代には景色を愛でるという発想がなかった。愛でる発想がなければ、その対象となる景色そのものも存在しない。

叙景が成立しない限り、色彩を細かに表現する必要などない。必要がなければ、自然の描写は単純かつ貧弱でありつづける。そう考えられないだろうか。

「西洋ではアリストテレス以来文芸のジャンルとして叙事詩（Epik）抒情詩（Lyrik）劇詩（Dramatik）の三概念を区別するが、叙景詩という概念はない」（瀧内槇雄「叙景論」、『文芸言語研究15巻』所収、筑波大学、１９８９年）のだそうだ。

白川静によれば、西洋において「叙景」が生まれるのは、ほとんど近代にはいってからのことであったらしい（白川静『初期万葉論』中公文庫、２００２年）。

つまりは、叙景の精神を得たことで、私たちはこの世界を色彩豊かに分節しはじめたということではないかしら。

（２０２２年6月28日）

## 〝30年〟という射程から

背表紙が紺色だったから古書店主が勘違いしたのだろう。講談社学術文庫の棚に、須賀敦子『コルシア書店の仲間たち』（文春文庫、１９９５年）がさされていた。硬派な書名に囲まれて「仲間たち」という文字が楽しげに浮き上がっていた。「須賀敦子」は長いあいだ気になりながらも手にしなかった。とくに本書は書名に「書店」とあって食指が動きがちの私なのだが、いかんせんイタリアのお話。ちょっと縁遠いのだった。

本書の単行本が出版されたのが１９９２年。須賀の最初の作品『ミラノ 霧の風景』（白水社）が出たのは、１９９０年の著者61歳のとき。亡くなったのが98年であるから作家としての活動期間はわずか10年足らずだ。作品数はそれほど多くないにもかかわらず、没後もさまざまに特集され、「須賀敦子」をテーマにした書籍の出版が断続的にいまも続いている。新しい読者を獲得し続けているということだろう。私も、ほんとに遅ればせながら、ブームの最高潮からすれば四半世紀ちかくも遅れて読者となった。

『コルシア書店の仲間たち』は、著者が30歳を前にして留学したイタリアを舞台にした回想記だ。時代は1950年代末から70年代初頭。ミラノにあったコルシア書店という「カトリック左派」と呼ばれるグループが運営する書店の仕事を、31歳から帰国する42歳までの11年間、手伝うようになる（須賀は聖心女子大出身のクリスチャン。18歳の時に受洗）。

その書店を中心に交流した仲間たちや、書店の運営をボランティアでサポートするブルジョワジーの貴婦人たち、そして夫となる同僚のペッピーノ（結婚6年足らずで死別）、そうした人々と過ごした濃密な日々が描かれる。

「（ミラノの）どの道も、だれか友人の思い出に、なにかの出来事の記憶に結びついている。通りの名を聞いただけで、だれかの笑い声を思いだしたり、だれかの泣きそうな顔が目に浮かんだりする」。そしてこうも書く。「十一年暮らしたミラノで、とうとう一度もガイド・ブックを買わなかったのに気づいたのは、日本に帰って数年たってからだった」

この物語が執筆されたのは著者が63歳のとき。遠い昔の記憶をたずねて、かかわってきた人物のおしゃべりや表情、ふるまいを、エピソードやゴシップを交えながら掌編の小説仕立てにして物語る。30年という時間の経過によって夾雑物がふるいにかけられて、その一人一人のたたずまいが際だって異化され、今では老い衰えた友人たちや、あるいはすでに亡くなってしまった人たちが、時空を超えてくっきりと立ち現われてくる。そして須賀自身もその時間、その空間にもう一度立ちあって、ていねいに当時の情景を再現していく。

意外にもキリスト教のことや「左派」のこと、書店の仕事内容はほとんど語られない。というのもコルシア書店は商売としての書店ではなく、書店というかたちを借りた、「あたらしい共同体」を模索する、ゆるやかな運動体として存在した。そしてそれは、「パートタイム」ではなく、「生活をともにする運命共同体」をめざした。まるで大学のサークルのようでもあり、一種のコミューンのような、仲間たちと有機的な理想社会の実現に向けて談論風発する実験場であったようにも見える。

「あれから三十年、東京でこれを書いていると、書店の命運に一喜一憂した当時の空気が、まるで「ごっこ」のなかのとるにたりない出来事のように思える」と書く。屈託のないといえば屈託のない青春の日々だ。しかし当時は「自分たちが求めている世界そのものであるかのように、あれこれと理想を思い描い」て「いちずに前進しようと」していた。

しかしその「ごっこ」は1970年代に入ってほどなく終焉を迎えることになる。中国の文化革命の余波で学生たちは過激化し、社会全体に不穏なムードが漂い始める。「政治が友情に先行し」「書店が交流の場より、闘争の場になることをえらび」「思索より行動を」「妥協より厳正を」求めるようになる。

「書店の仲間みんなが、晩い青春の日々に没頭した愉しい「ごっこ」の終わり」の始まりであった。1971年8月末、須賀は帰国する。

本書の巻末にこうしるしている。

「人それぞれ自分自身の孤独を確立しないかぎり、人生は始まらないということを、すくなくとも私は、ながいこと理解できないでいた」

これは著者が60歳を過ぎてからの文章だ。帰国当座はミラノ時代を再現しようとしたのだろうか、再び「共同体」を求めたように見える。カトリックの慈善活動「エマウス運動」に参加し、「熱に浮かされたような、狂的といっていいほど」（湯川豊『須賀敦子を読む』新潮文庫、2009年）に熱心な活動家であったようだ。46歳で身を引く。その後、大学でイタリア文学を講じるようになる。

「自分は文学しかないというのは分かっていたのに、それから逃げていた、（略）共同体とか、社会活動とか、ほかのことをやってもだめなのに、長いことそれをわかろうとしなかったの」（大竹昭子「ロングインタビュー」、『須賀敦子の旅路』所収、文春文庫、2018年）と述べている。

『ユルスナールの靴』（河出文庫、1998年）という作品の冒頭にはこう書かれている。

「きっちり足にあった靴さえあれば、じぶんはどこまでも歩いていけるはずだ。そう心のどこかで思いつづけ、完璧な靴に出会わなかった不幸をかこちながら、私はこれまで生きてきたような気がする」

そうして後年、30年という射程の長い視座から「書くことで生き直す」という自前の「靴」を用意した。「不思議なことに書くと思いだすんです。いくらでも出てくるので自分でもびっくりしたの。（略）ひたすら書いているうちにそのつもりになって、結論は書いた現実の中から出てくるの」（前出「ロングインタビュー」）

さて、私自身、60歳を超えて、須賀作品に出会えたのは、遅ればせではあったけれど、結果的にはよかったように思えた。著者と共有できるような経験は残念ながらまったくないけれど、30年という時間感覚は実感できるし、30年という経過した歳月の向こうに見える日々が、振り返るべき対象としてなにがしかの意味を持っていることも今なら理解できる。幸いにも須賀作品の読み手として〝旬の年回り〟であったのかもしれない。

イタリアのことは変わらずに不案内であるけれど、ここんところ須賀作品にすっかりとりつかれてしまっている。

（2022年10月15日）

## 〝密偵〟から〝旅人〟へ

取材を始めて25年、執筆から7年という時間を経過して上梓された本書、沢木耕太郎『天路の旅人』（新潮社、２０２２年）は、第２次世界大戦末期から戦後の１９５０年まで、ラマ教の巡礼僧に扮し〝密偵〟として中国大陸の奥地に8年間潜行していた西川一三という男の足跡をたどった作品である。

四半世紀という、その著者沢木耕太郎氏の作品への年月のかけ方に、あの記念碑的名作『深夜特急』（3巻、新潮社）を思う。第1巻と第2巻の『第一便』『第二便』は１９８６年5月に同時刊行されたが、最終巻の『第三便』は遅れに遅れて6年後の１９９２年10月だった。当時、待ちくたびれてしまったことを思い出す。幸い本書のばあいは著者の作品化への道のりは〝潜行〟しており、これがもし刊行予告などされていようものなら沢木ファンとしてはかなりのストレスフルな年月を強いられたかもしれない。

さて、本書は、西川自身の著作である『秘境西域八年の潜行』（芙蓉書房、上巻１９６７年、下巻１９６８年、のちに中公文庫全3巻、１９９０年）をもとにしたものだ。沢木氏が西川の人物像を〝密偵〟というよりも〝旅人〟として捉えなおしてよみがえらせたノンフィクションといえる。

さらに、構想段階では存命中（2008年没）であった西川を50時間にわたってインタビュー（1997年）し、西川の著作と生原稿をつきあわせながら、地図を克明にトレースして、その足跡を「正確に」たどったものだ。「正確に」というのは、西川の芙蓉版も中公版もどちらも割愛箇所が多く、しかも誤記（誤植）が目立ち、つじつまが合わないところが散見されるという。いかんせん西川の手になるオリジナル版は原稿用紙3200枚にも及ぶ大長編ゆえに校正・校閲も不十分であった。

沢木氏が本書「あとがき」で報告しているが、西川の遺品から、全く手を入れていない、読んだ形跡すらもうかがえない初校ゲラ（中公版）が見つかっている。出版社へも戻していない状況からして、著者校正の手続きを踏まず、ほとんど初校状態そのままで印刷・出版されたようである。私の手元にある『秘境西域八年の潜行』は上巻の奥付には初版が7刷、新装増補版で6刷となっている。下巻も同じような刷り数である。当時かなりのベストセラーであったことがうかがえる。しかしその内容の不正確さを指摘する声はほとんどなかったことからして読み通した読者はそれほどいなかったのではないかとも思われる。なんせ8ポイント2段組の、上下巻合わせて800ページにわたってぎっしりと活字のつまった版面は読む前に気持ちを萎えさせるにじゅうぶんだ。

かつて私どもで刊行していた『南船北馬』という雑誌で、チベットを特集したことがある（『南船北馬』6号、1987年12月）。そのなかで「チベットの本」というコーナーを設けてこの『秘境西域八年の潜行』を取り上げているのだが、「実はまだ読了しておらず青海省あたりをうろうろして肝心のチベット篇まで辿り着いていない」と（若き！）私は記している。上巻の半分あたりである。35年以上前のことなので往事渺茫としているが、おそらくは途中で投げ出してしまったにちがいない。

著者も新聞のインタビューで次のように話している（神戸新聞、2022年11月9日）。すでに出版されている西川の本を、「自分が新たに何か書く意味があるのか」との当初抱いていた逡巡を乗り越えて執筆への一歩を踏みだせたのは、やはりこの圧倒的なボリュームゆえのことであったようだ。「分厚い文庫本3冊に及ぶ同書をどれだけの人が読んだだか、疑問が湧いた。彼の旅の道しるべになる本を出しても良いのではないか。彼とその旅の面白さを読者に味わってもらうためなら」と。

鼻の癌の術後、病院の治療を終え、ショートステイ先の施設に向かう晩年の西川が一人娘の由起にぽつりと言う。「……こんな男がいたことを、覚えておいてくれよな」と。それに対して由起は、西川の着替えやら日用品の準備をしながら気もそぞろに「はい、はい」と上の空で答えてしまうのだが、これが西川の生前最後の言葉になってしまった。のちのち由起は返事を軽く流してしまったことに深く後悔する。

しかし、禍福は流転す！であった。沢木耕太郎という、当代きってのノンフィクションの〝語り部〟を得て、西川の痛切な思いは満願成就したように思われる。由起の無念の思いもいくらかは晴らされたかもしれない。そして私たち読者にとっては、フレンドリーな読み物に生まれ変わって西川一三という稀有な〝旅人〟とその世界を堪能することができるようになった。慶賀の至りである。

（2023年1月19日）

## 破綻寸前ってか!?

現代ならではともいえる取り付け騒動が起こった。銀行の信用不安の噂がSNSで一気に広がり、あっという間に経営破綻してしまった米国のシリコンバレー銀行の一件である。先月3月8日（2023年）、「この銀行は危ないのでは」との情報がツイッター上を駆けめぐると、翌9日には日本円にして約5兆6000億円が引き出され、10日に破綻してしまった。スイスの金融機関クレディ・スイスも昨年（2022年）SNS上での情報がきっかけとなって大規模な取り付けがなされ、ネット資金の流出が1兆8900億円に上ったといわれている。

わざわざリアル店舗に出向かなくても預金者はネット上での操作で資金移動を一瞬にしておこなえる。しかも情報は瞬時にして全世界で共有される。それが不確かな情報であろうとなかろうと、事は一気に突き進んでしまうのだ。

それにしては……と思う。一昨年の『文藝春秋』（2021年11月号）に掲載されて話題となった「財務次官、モノ申す　このままでは国家財政は破綻する」（矢野康治）という記事だ。一国の金庫番のトップ官僚が、日本は「先進国の中でもずば抜けて大きな借金を抱えている」にもかかわらず「さらに財政赤字を膨らませる話ばかりが飛び交って」おり、「今の日本の状況を喩えれば、タイタニック号が氷山に向かって突進しているようなもの」と危機感をあらわにしたのだった。で、何が起こったか？

こちらは紙ベースのアナログ情報ではあるものの、日本を代表する真っ当な月刊誌に掲載された「論文」であり、その点では与太話の類ではなく確度が高い情報と受け取られたはずだ。さらにさまざまなニュースでも取り上げられ大いに衆目を集めた。なのになぜか、円が売り浴びせられることもなく、国債の暴落が惹起されることもなく、金利が急騰することもなかった。いたって平穏な日々がその後も続いている。だれも国家財政の破綻が近いなどと思わなかったということか。銀行の経営幹部が「わが銀行は破綻に向かいつつある」などというメッセージを出せばいったいどんな結末を迎えることになってしまうか。そう考えれば、そもそも財務事務次官が「破綻が近づいている」と発信できることじたい、太平楽さがうかがえて、その「危機感」とやらの本気度に一抹の疑念を抱かざるを得ない。

実際のところ財務省のホームページには次のような内容のことが記されている。外国の格付け会社による日本の国債の格付けがシングルAに格下げになったことを受けて、財務省が「意見書」として掲示したものだ。

いわく、「日・米などの先進国の自国通貨建て国債のデフォルトは考えられない」、「国債はほとんど国内で極めて低金利で安定的に消化されて」おり、また「日本は世界最大の経常黒字国、債権国であり、外貨準備高も世界最高」であると高らかに宣言して、ゆえにシングルAという格付けは低すぎるのではないかと苦言を呈している。今も財務省のホームページで閲覧できる。

国内向けには世界最大の債務残高を憂い、その返済には緊縮財政と増税でまかなうしかないのだとするいっぽう、対外的には世界最大の債権国であると胸を張って、これほどに与信力の高い国家はないんだぞ！と威勢がいい。何が本当なのか……。この二枚舌はちょっと恥ずかしい。

ところで「意見書」にある「自国通貨建て国債のデフォルトは考えられない」という下りは近年話題のMMT（現代貨幣理論：Modern Monetary Theory）の主張するところでなかったか。MMTは異端の経済学として、もっといえば主流派経済学者からすれば「トンデモ理論」と切り捨てられることも多く、MMTの話題を口にしたとたん、その人間の品性が問われかねないキワモノ扱いになっている経済理論である。それがなんと、主流派経済学の牙城である財務省においてこっそりとMMT的主張がなされていたとは。

本稿では、経産省の官僚であり評論家の中野剛志氏による「奇跡の経済教室」シリーズを話題にしたい。中野氏は日本におけるMMT理論の第一人者で、私はその著「奇跡の経済教室」シリーズの第一冊目『目からウロコが落ちる奇跡の経済教室【基礎知識編】』（ベストセラーズ、2019年）でMMTの初歩を教えてもらった。

MMTといえば、さきの「自国通貨建て国債のデフォルトは考えられない」のフレーズが有名であるけれど、私にはその前段階の、貨幣の概念が文字通り「目からウロコ」だった。

「実存は本質に先立つ」とはサルトルであったが、MMTでは「信用（債務）は貨幣に先立つ」と表現される。お金は、借用証書の一種であるという考え方である。市中に出回るお金は誰かの借金によって生み出されたもの、というわけなのだ。

景気がよければ（需要＞供給）、民間企業は設備を増強したり、新たな事業の展開を計画したりする。つまり民間企業自らがさらなる発展を見込んで、投資ための資金融資を銀行に申し込む。銀行側がその申し込みを受けて融資を実行する。その実際は、その企業が開設している銀行口座に、例えば、1億円と記帳する（信用創造）だけである。それで1億円というお金が新たにポンと生まれる（もちろん融資前には銀行によって企業の信用力は査定される）。そしてその企業はそのお金を使って積極的に事業を展開していく。1億円はモノや人に流れていって、それが世の中に潤いを与えていくという仕組だ。だれかの借金が世の中のお金を増やす。留意しておきたいことは、銀行の信用創造（記帳）でお金が生まれるということ。個人や企業が預金口座に貯めているお金が元手となって融資が行われるというわけではない。ただ単に1億円と記帳するだけで1億円分のお金が新たに生まれるということ。

逆に不景気のときはどうか。つまり「供給＞需要」のとき。モノをつくっても売れないし売れ残ってしまう。とうぜん企業の投資意欲は減退する。銀行からお金を借りてまで事業を拡大しようなんてリスキーである。それは企業家として合理的な判断である。企業がお金を借りないから市場に流れるお金の量も増えない。モノあまりだからモノの値段も上がらない。売れないからそこで働く人の給与も上がっていかない。将来が不安だからお金は使わない。貯めこむ。1億総シブチンである。活況を呈するのは100円均一のお店ぐらいだ。このシブチン状態（デフレ）が日本では四半世紀以上続いている。

だからこんな時代は、消極的になった民間企業の代わりに誰かが借金をしてお金を増やしていかなくてはならない。その役目を担うのが政府だ。政府が積極的にお金を借りて（つまり国債を発行して）、財政支出していくことが求められる。民間がダメであれば政府ががんばらなきゃならない。そうでもしないとみんな貯めこむばかりでお金がいっこうに増えていかない。

政府が借金を増やすと、とうぜん財政赤字は拡大する。将来世代にそのツケを回していいのか!?というおなじみの批判が予想される……。

そうした財政赤字の多寡を査定する指標というのは何なのだろう?

さきの財務次官の「論文」で述べられている「対ＧＤＰ比の債務残高２５６・２％」という規模が危険水域ということだろうか。

『奇跡の経済教室【基礎知識編】』によると、吉川洋（東大）教授など日本を代表する経済学者たち（多くが経済財政諮問会議の議員を歴任）は２００３年当時政府の債務残高がＧＤＰ比１４０％に達していたことから財政状態は危機的状況にあると緊急提言をし、２００％で事実上の破綻となる、そう主張していた。しかし、その後２００％を超えても破綻を迎えることはなく、今では２５０％を超えてしまったが、幸いなことにぶじ過ごせている。この手の主流派経済学者の予測は外れっぱなしで、そもそも「理論」としてどうなの?と思わずにいられない。

さて、ＭＭＴの考え方では、財政赤字を評価する際、対ＧＤＰ比の債務残高にその限界をみるのではなく、インフレ率が指標となるという考え方だ。数％の健全なインフレ率をはるかに超えるような、急激なインフレの事態になればそれは財政赤字が大きすぎるということになる。「巨額」な財政赤字といわれている現時点では、黒川前日銀総裁が目標とした2%のインフレ率が10年かけても達成できなかった（金融政策一辺倒で、政府の財政出動があまりにもショボすぎたことが主因だ！）ことからすれば、それは「巨額」でもなんでもないということになる。もし急激なインフレに見舞われたら、そのときこそ需要を抑制すべく消費税の税率アップであったり、所得税の課税を強化するなどの増税を実施して、世の中に出回っているお金を回収していくことになる（結果、財政赤字は縮小していく）。

税金は、なんらかの政策実現のための財源としての位置づけなどではなく、MMTによればインフレ率をコントロールするためのツールであるという考え方だ。最近では子ども予算の財源がない!?ので新たな税収を用意しなければならないなどと政府・マスコミをあげてそうした主張がなされているけれど、MMTからすれば財源がなければとうぜん国債となる（実際は無駄な支出がたっぷりとあるはずだから、子ども政策が喫緊の課題であるのであれば、その予算の執行順位のプライオリティを高くすれば済むことだ）。

財政のバランスはデフレになれば赤字になり、インフレになれば黒字になるというだけのことで、赤字＝悪ではない。悪玉コレステロールのようなものだ。悪玉がただただ少なければいいといったものではないのと同じこと（LH比が大切）。

ともあれ、いわゆる財政の黒字化をめざす「財政健全化」という考え方ではなく、日本の経済そのものを健全化していかないといけない、と著者の中野氏はさいさん述べている。そのときどきの経済状況に合わせて赤字を増減させる「機能的財政論」という考え方に基づくべきであると。今はデフレからの脱却が最大の課題であるのだから、とうぜん赤字は増やして行く方向で積極的に財政出動を仕掛けていかなければならない。

とここまで書いて思うのは、ほとんどケインズの主張していた経済理論そのままで、なにもMMTと言わなくてもいいのではないかと思ってしまう。デフレになれば公共投資で政府が仕事をつくって、需要不足を補っていく。昔からそう教科書に載っていた。デフレ下でやるべきことはMMTであろうがケインズ経済学であろうが同じことだ。MMTという新しい貨幣理論がケインズ経済学に基づいた政策の遂行性を担保してくれていると考えればいいだけのことのように思える（実際ポスト・ケインズ派といわれているらしい）。

ケインズであれば教科書にも紹介されていたようにその処方箋の効能は歴史的に実証済みだ。「MMTといえば唇寒し」であれば「ケインズ」経済学を前面に出せばいい……なんてわかったようなことを言っている私であるが、学生時代「ケインズ」をまともに勉強したことはない。じつはこのあいだ入門書をこっそりと紐解いた。伊東光晴『ケインズ―〝新しい経済学〟の誕生―』（岩波新書、1962年）という、「ケインズ」入門のテッパンの書として評価の高い一冊だ。その「序説」に中野氏が紹介していた「機能的財政論」を説く一文に早々に出くわした。

「(ケインズの登場によって) 国の予算はたえず収入と支出が一致しているべきだとする均衡財政政策から、必要に応じて赤字にしたり黒字にしたりする伸縮財政政策に変わった」(3頁) と述べる。「均衡財政政策」が昨今いわれるところの「プライマリーバランス (PB)」を重視した「財政健全化」のことで、「伸縮財政政策」が中野氏が述べる「機能的財政論」ということだろう。1962年初版の「入門書」の冒頭3頁目に「財政規律」至上主義の誤りが指摘されていた。

そして、デフレ時には「(政府は) 税収入よりも支出を多くして、その分だけ物を買い、有効需要を作りだす必要がある」わけで「赤字財政もこのような場合には (略) 有効である」。そうしたケインズの主張する政策を実現可能にするためには、「中央銀行が貨幣をいくらでも金融市場に投入できること、政府が赤字公債を発行して公共投資ができることが必要であった」。

この前提条件を理論的に担保してくれるのがMMTだ。MMTを全面に出してその有効性を主張していくよりも、ケインズ政策実行の陰の立役者として位置づけてたほうが通りがいいように思う。MMTに対しての反論では、論理的な主張がなされるよりもむしろ生理的嫌悪感からの発言が目立つ。典型的な、その一つ。日経新聞の「大機小機」というコラムから。
「ＭＭＴ理論の基本はインフレを心配する必要のないというもので、その元祖は米国だが、米国でも実際にインフレに直面した今日、その主張が絵空事であることが明らかになり、もはやほとんど誰も相手にしなくなっているという」（唯識、２０２２年11月３日）
日本を代表する経済紙（財務省・財界の広報誌と言えなくもないが）の紙上でこうした荒っぽい、言ったもんがちの物言いが活字化されてしまう。この「唯識」という方の阿頼耶識には、どんな現行《げんぎょう》の種子《しゅうじ》が薫重《くんじゅう》されているのだろう!?　あまりに酷い書きようなので皮肉の一つも言いたくなった。

（２０２３年４月21日）

# II
# 日誌篇

## サウダーデ

２０１９年２月９日

今月の新潮社ＰＲ誌『波』２月号の表紙に新田次郎と藤原正彦（青年時）の親子写真（ピントの甘いモノクロ）が載っていた。へぇーと興味を引いたのは、ちょうど新田・藤原父子によって書き継がれて完結した『孤愁サウダーデ』（文藝春秋、２０１２年）という本を読んでいたところだったからだ。

明治の半ばに来日したポルトガル人モラエスの後半生を描いた伝記小説。軍人として１８８９年初来日。その10年後の99年にポルトガル領事館勤務の外交官として神戸に赴任し、のちに一目惚れした芸者およねを妻に迎える。そのおよねが病で亡くなる（１９１２年）と、すべての職を辞し、およねの故郷徳島に居を移す。もともと文人でもあったモラエスは、日本をルポルタージュした数々の作品を故国で発表し名声を得る。

書名にある「サウダーデ」とは、ポルトガル人のメンタリティを象徴する言葉のようで、著者は「孤愁」と表現した。「愛するものの不在により胸の疼くような思いや懐かしさ」と説明される。恋人であったり、家族であったり、故郷であったり、そうした愛する対象を遠く離れて懐かしく思い出し、センチメンタルな思いに身を焦がしながらふかく沈潜する。そこに心の支えを求める。年老いて足腰が思うに任せなくなったモラエスが、遠く故郷を思い、家族を思い、およねと過ごした時間を繰り返し追想する。他者から見れば寂しいかぎりの毎日に思えるのだが、そうしたサウダーデに浸ることで生きる原動力を得る。

「希望がなくても人はサウダーデによって生きていけるのだよ。追慕で生きているんだ」

同時期のラフカディオ・ハーン（小泉八雲）と比較されることが多いが、ハーンが松江に滞在したのは1年ほど。モラエスの滞在（神戸・徳島）は30年に及び、最期（1929年）は徳島に骨を埋めた。

2019年3月3日

## 『泥河の果てまで』

久しぶりに「岡村隆」氏のお名前を拝見した。「植村直己冒険賞」受賞の記事だった（神戸新聞、2019年2月13日）。法政大学探検部出身。スリランカの密林での仏教遺跡調査を半世紀にわたって継続されてきた。その功績が認められた。しかし、私にとっての岡村氏は作家として記憶に刻まれている。

著作『泥河《でいが》の果てまで』（講談社、1989年）は、当時のスリランカの内戦事情をふんだんに織り込んで仕立て上げられた、胸躍るエンターテイメント作品。読後30年近くたっても、いまも鮮明に残っている。今回の受賞記事ではこの作品にはまったく言及されていないが、スリランカを舞台にしたさまざまな小説があるなかで、私にとっては文句なしにいまもダントツのスリランカ本である。

## スリランカの〝時代〟

2019年6月4日

スリランカでは5月21日の凄惨な爆破テロ以降、民族対立が激しくなっている。タミル人の反政府組織（LTTE）と政府軍との間で30年近く繰り広げられた内戦が2009年に終息して以来、観光立国への道をひた走りに走って（8つの世界遺産）、その成果も目に見えるかたちで十分にあらわれてきていたのにまったくもって残念なことである。

私は内戦時の1990年代には何度も訪れたことがあるのだけれど、近年、とんとご無沙汰してしまっている。旅行者の写真から最近の街の様子を見ると、そのおしゃれな店舗の数々はこれほんまにスリランカ？と思ってしまうほどだ。

小舎刊行の『蓮の道』（野口忠司訳、2002年）というスリランカの小説が、今年の初めあたりからにわかに注文が舞い込むようになっていた。ここ10年以上ほとんど動きがなかった書籍である。調べてみると、JALのカード会員向け情報誌『AGORA（アゴラ）』（2018年12月号）に「蓮の道」というタイトルで、その作家マーティン・ウイクラマシンハを特集した記事がどかーんと掲載されていた。日本でいえば夏目漱石並みの、スリランカを代表する国民的作家である。といってJALの雑誌で取り上げるにはかなりマイナーな存在であろう。ようやく〝時代〟はスリランカになったのだ！　その矢先、喜んだのもつかの間、このたびのテロ事件にはがっかりさせられた。

**『中世の説話』**

2019年6月29日

松原秀一『中世の説話』（東京書籍、1979年）という本を探していた。3月31日付け日経新聞「半歩遅れの読書術」コーナーで日文研の井上章一氏が紹介していた本である。洋の東西の説話を読み解くと、意外な共通点が浮かび上がり、そこからダイナミックな東西交流の足跡が見えてくるといった比較文学エッセイが内容だそう。記事では「かつてブッダは、カトリックの聖者になったことがある」というエピソードが紹介されていた。92年に中公文庫にもなっている（『中世ヨーロッパの説話』と改題）。アマゾンで検索すると、古本扱いで文庫本が何点か出品されていたが、その値付けに驚いた。最安値で12547円。最高値は393349円。いくら絶版とはいえ、文庫本が、なんとまあ！　井上氏の記事が火をつけたのだろうか。いまもって新聞がそれほど影響力をもっているとはとても信じられないんだけれど。で、入手はあきらめていたのだったが、先週神戸元町商店街の古本屋さんで発見した。税込200円。ふふふ。

**『「反緊縮！」宣言』**

2019年7月8日

立命館大の松尾匡先生より『「反緊縮！」宣言』（亜紀書房）をご恵送いただいた。いつもありがとうございます。近年上梓される著作群は、「反緊縮」「大規模な財政出動」といった「気前のよい態度」が現下のデフレ経済ではいちばんに求められると主張する内容である。本書はそうした「反緊縮」の提唱者が一堂に会して、様々な立場からその主張を展開した「反緊縮」入門書になっている。

さて、松尾先生ご自身は、活字の世界だけでなく、街頭に立ってマイク片手に道行く人に肉声での訴えかけもなされているようである。さらには、国政選挙において、「反緊縮」の経済政策を掲げる候補者には党派に関係なく「薔薇マーク」（お金を「ばらまーく」から）で認定するというキャンペーンの発起人でもある。アカデミズムの世界から一歩も二歩も踏み出されて、八面六臂のご活躍ぶりである。このたびの参院選で山本太郎議員の「消費税廃止」などの一連の主張を耳にしているとなんだか松尾先生みたいだなと思ったのだけれど、それもそのはず、『サンデー毎日』（6月30号）のインタビュー記事（山本太郎「私の倒閣宣言」）に「松尾匡教授の本を読んで」云々という下りがあった。やっぱり。

「反緊縮」がこれから日本でも大きなうねりとなっていくのだろうか……。

プライマリーバランスやら財政規律重視、財政危機論などといった、与党、野党、右も左も関係なく、ひろく日本社会に受け入れられてしまった感のあるこうした緊縮的な言説が、このデフレ下でいかに有害で「合理的根拠がない」ものであるかを腑に落とすためにも急いで本書を読まなければならない。

## 「みられる私」より「みる私」

２０１９年９月７日

６月から９月10日までの期間、民族学博物館（みんぱく）で「サウジアラビア、オアシスに生きる女性たちの50年」という企画展が催されている。２０１３年に亡くなった人類学者の片倉もとこ氏のフィールドワークの足跡をたどる内容である。サブタイトルに「『みられる私』より『みる私』」とあるが、これは片倉氏の著書『イスラームの日常世界』（岩波新書、１９９１年）での有名な一節。イスラーム社会の女性たちがヒジャーブなどのベールで顔を覆うことについて、欧米からは女性抑圧の象徴として否定的に取り上げられるのが一般的であるが、実際はこのベール１枚で女性たちは「容姿の美醜が女性の価値基準といった、男性側の眼からの自由」を獲得したと読み解く。そして「見られる」側から「見る」側へと立ち位置を変えた女性たちは、抑圧どころか、知力体力ともにじゅうぶんにして、きっぱりと自立した実力本位の世界を颯爽と生きている――というのが著者の見立てであった。「片倉もとこが見たサウジアラビア」という演題で「みんぱくゼミナール」が開催されたが、一会場には収めきれず、複数の会場にテレビ中継していたほど大勢の来場者で賑わった。さすがに片倉もとこの人気はすごいわい！と思ったのだが、会場で司会者が片倉氏の一般向けの代表的著作である『アラビア・ノート』『イスラームの日常世界』を読んだことのある人を挙手で確認すると、その数意外にも３分の１にも満たなかった。となると、何人の人が「「みられる私」より「みる私」」の意味するところを理解できたか。なんのこっちゃ?という反応もあったのではないか。

2019年11月3日

**『クレオール物語』**

2019年版「神戸書店マップ」が先月出た。古書店(新刊書店も含む)の所在をプロットしたイラストマップ。震災以降ずいぶんとなくなってしまったという印象があったのだけれど、あらためて地図を眺めると、けっこうあるのだ、これが。旧来の古本屋さんといった店構えのものはたしかに減ってしまったが、アニメ、コミック、ゲームなどを扱うオタク系新古書店やら、30代あたりの若い店主が切り盛りする、一見カフェのようなたたずまいの、おしゃれな古書店(個性的な版元のとんがった新刊や、リトルマガジンなども扱う)がいくつも生まれている。過日、そんなこじゃれた古書店で発見した一冊が『クレオール物語』(小泉八雲著、講談社学術文庫、1991年)。明治期の日本を舞台にしたハーンの作品はおなじみであるが、本書は来日する前の作品群を収めたもの。イスラームのアザーンを題材にした「最初の礼拝呼び掛け人」や「バラモンとバラモンの妻」など興味深いタイトルが並ぶ。へーっ、こんなのがあったのか。裏表紙をめくって値段を確認すると「3000円」。そのこころは、最終ページの余白部分に鉛筆書きで書き込まれた「絶版」という大きな文字にあるようだ。うーむ。講談社学術文庫で20年以上前のラインナップのものはおそらくすべて絶版（正確にいえば「品切」）だろう。現在の書籍市場からすればほとんどの本が初版1刷で終わってそのまま「絶版・品切」になるのであるから、希少性をとりたてて標榜する「絶版」の値打ちも下降気味である。とはいえ、この学術文庫しかり、ほかでは、ちくま文庫（特に「学芸」バージョンのもの）やら、中公文庫などは「絶版」を楯に強気の値付けがなされやすいレーベルではある。

……さて、この一件にかんしましては、残念ながらしぶちんの私は「3000円」を目にして静かに棚に戻し、静かに店を出ることになりました。

しかし、捨てる神あれば拾う神あり。最近新しく出店した、こちらは昔ながらの古本屋風情。講談社学術文庫が10冊ほど申し訳程度に並べられた棚に、その文庫たちの天の小口に横向きに差し込まれた1冊。「ここですよ！」と呼びかけられたように手を伸ばしたら、なんと『クレオール物語』。震える手ですかさず裏表紙をめくると「200円」の文字が。ああなんという天の差配か！　……てなことを知人に喜々として話していたわけであるが、還暦を過ぎたおっさんのなんとも貧相なふるまいにかすかに自己嫌悪した。こんなご時世に本の世界へと果敢に乗り出して頑張っている若い人のお店で、3000円払って買うべき年齢域に私は入っていたのではなかったか!?

『戦場から女優へ』

2019年11月17日

過日NHK－BSで「イスラムに愛された日本人 知の巨人・井筒俊彦」と題するドキュメンタリー番組があった。井筒博士の天才ぶりの一端を窺い知れる興味深い内容だった。番組の案内役としてイラン出身のサヘル・ローズさんが起用されていたのも、個人的にはこれまた興味がひかれるところであった。サヘルさんの著書『戦場から女優へ』（文藝春秋、2009年）を読んで以来、私はサヘルさんのファンである。というか、じつはサヘルさんというよりも、多くの方がそうであろうと思うが、サヘルさんの養母フローラさんの生き方に打ちのめされた一人である。その翌日、NHK－Eテレ「こころの時代」という番組で再びサヘルさんを見ることになった。「砂浜に咲く薔薇のように」と題するサヘルさん自身を取り上げたドキュメンタリーであった。イラン・イラク戦争時の空爆跡から奇跡的に助け出され、戦争孤児となり、当時ボランティア活動をしていたテヘラン大学の女子大生（今の養母）に引き取られて日本へ移住する。日本での壮絶な貧困といじめに苦しめられながらも、今日に至る人生を切り開いてきた。その彼女のこれまでを振り返る内容である。彼女の紡ぎ出す一つ一つの言葉の重量感に圧倒されてしまった。お母さん同様、この人もやっぱりすごいな。

## 中村哲氏と福岡人

2019年12月26日

中村哲医師が亡くなられたあとの現地事業（アフガニスタン）についてペシャワール会は従前どおりに変更なく継続していく旨を発表している。「事件の経緯とペシャワール会の今後の方針」（会長・村上優）と題してホームページに掲載されている。「中村先生が実践してきた事業は全て継続し、彼が望んだ希望は全て引き継ぐ」。一点の留保もない、截然たる言明である。こうした心意気というのはどこから来るのか。

恥ずかしながらわれわれ関西人にはこの手の気概は希薄やねえと自嘲気味にそんなことを話していたら、「やっぱりそこが福岡人なんだろうな」という意見があった。かつて福岡は、大アジア主義を構想・実践し、錚々たる人物を排出してきた玄洋社やら黒龍会を生み出してきた土地である。そこには地下深く脈々と流れる、気宇壮大なものを命がけで引き受けてしまうマグマのような熱い〝何か〟があるにちがいない。その遺伝子（ミーム）が今も福岡人に流れているのだろうという結論に至った。かつての歴史的な右翼結社とペシャワール会とはイデオロギーもその目指すところもまったく重なり合わないけれど、メンバーたちが抱える情熱であったり使命感であったり、〝血気〟といったものに共通のエートスがうかがえるように思えたのだった。2008年、会員の伊藤和也さんが現地の武装集団に拉致・殺害されるという事件があった。そのときの記者会見で記者から「命の危険があるのになぜ活動を続けたのか」という質問がなされたのだが、当時事務局長であった福元満治氏は「あなたには命をかけても成し遂げたいことはありませんか」と静かに問い返した。まさに気骨ある福岡人の口吻である。

**『男はつらいよ お帰り 寅さん』**

2020年1月2日

年末、映画『男はつらいよ お帰り 寅さん』（山田洋次監督）を観た。寅さんシリーズ50周年を記念してつくられた、22年ぶりの第50作。満男（吉岡秀隆）と、かつての初恋の相手・泉（後藤久美子）の再会物語を軸に、過去の作品から寅さんの懐かしい登場場面をフラッシュバックさせつつストーリーがすすむ。それにしても、俳優たち全員が等しく50年という同じ時間を経なくては決して生まれることのない不思議な作品である（と同時に観客も同じ50年を生きてきたことが求められるのかもしれない）。「製作期間」からすればギネスものの最長記録になるはず。見終わったあと、まさにすべては過去にあるのだという思いに強く打たれた。「現在というものは、過去のすべての生きた集大成である」と言ったのは、トーマス・カーライルという19世紀、英国の歴史家であるそうだが、その名言を地で行く。あらためてもう一度これまでの49作品を振り返って、再びこの50作品目に戻ってきたい、そんな思いにさせられた。

## 「中東のスイス」オマーン

２０２０年１月13日

オマーンのカーブース国王死去のニュースがあった（２０２０年１月11日）。「中東のスイス」と呼ばれるオマーンは、シーア派イランとの関係も良好で、欧米やスンニ派アラブ諸国との間に入ってこれまで積極的な橋渡しを果たしてきた。一昨年にはイスラエルのネタニヤフ首相がオマーンを訪れたというニュースもあった。中東諸国の中では抜群の安定感を誇る。内政においては、国王自らが車を運転し、キャンプ生活をしながら全国を巡回して民衆のニーズを直にヒアリングしていく「ミート・ザ・ピープル」と呼ばれる活動が毎年恒例となっており、国民の熱狂的な支持を得ていた。

国民の多くがイバード派ムスリムであるが、この宗派の源流はハワーリジュ派。もっとも古い、初期の宗派（7世紀）である。カリフを僭称する、ウマイヤ朝のムアーウィアに妥協的な態度をとった4代目カリフのアリーに失望・憤慨してアリーの陣営から「出て行く者（ハワーリジュ）」に由来する呼称。最終的にはアリーを殺害してしまうほどにリゴリズムを貫く。イバード派はその流れをくむので急進的かと思いきや、いたって穏健で合理的な考え方をとり、他宗教・他宗派には寛容であるといわれる。指導者であるイマームがスンニ派のようにクライシュ族出身者に限定すべきであるという考えはなく、シーア派のようにアリーの血縁を重視することもない。スンニ派でもなく、シーア派でもない独自路線である。このあたりが、全方位外交を展開していく現実主義者のバックボーンになっているのかもしれない。

## 『失われた時を求めて』

2020年2月3日

プルースト『失われた時を求めて』の新訳がこのたび10年の時をかけて完成されたという記事があった（朝日新聞、2020年1月21日）。400字詰原稿用紙で約1万枚、登場人物2641人、岩波文庫で全14巻という、超長大な文学作品である。研究者ならともかく、これを通読した一般の読者ははたして全国で何人くらいいるのだろう。年間100人ほどはいるだろうか。おそらくは睡魔と戦いながらの苦行の読書となって、大半は途中で挫折。日を改めて再び取りかかるもまたまた挫折。一進一退を繰り返したのちいつしか本の存在そのものが忘却されてゆく……。

訳者である吉川一義氏（京大教授）によると「全巻読破をめざす読者の多くが挫折する難所」と指摘するのが5～8巻で、ここを乗り越えるとゴールまで一直線に進めるらしい。うーむ、しかし。じつは先日電車でその「年間100人」のうちの1人と思われる読者に遭遇した一件を思い出すのだ。ボックス席の私の正面に座った、年のころ60歳前後のサラリーマン風情のおっちゃん。席に着くなり、素早くかばんから取り出したるは、なんと『失われた時を求めて』(岩波文庫第12巻)。ほーぉ、やるなあ！　記事で取り上げられている吉川氏による新訳バージョンである。ここまでくれば難所は乗り切ったはず。それなりにリズムもつかめて、巻を措く能わずの域に達しておられるかもしれない。そう推察したのだが、どうも様子がちがう。半ページほど読むとうつらうつら、数分後にはカッと目を開いて活字を追おうとされるが、またしても数分後にはうつらうつら、と再び目を覚まされ、視線はページへ向かおうとするが、みたびうつらうつら。40分ほど観察していたけれど、最初に開かれた見開きのページにスタックしたままついぞ新たなページに移られることはなかった。やっぱりそうだよなあ、わかるなあと大いに共感を覚えたのだが、でも、この調子でどうやって、ここまでたどり着いたんだ⁉

**ジュンク堂京都店**

2020年2月28日

明日(29日)でジュンク堂京都店が閉店するという。出店当時(1988年)オフィス街(阪急河原町駅周辺)の立地イメージであったのが、外国人観光客の増加によって町並みや客層が大きく変化したことがその閉店の背景にあるという(朝日新聞、2020年2月20日)。1990年前後、納本作業でこのあたりの書店めぐりをしていたことをいま懐かしく思い起こしている。京都の中心的な書店街であって有名どころの新刊書店がしのぎを削っていた。当時ジュンク堂書店の数軒となりにはブックストア談という書店があったし、京都を代表する大型書店であった駸々堂に、京都書院やら丸善も、それぞれ数百メートル圏内にあった。すこし離れて規模は小さかったが海南堂というキャラのたった書店もあった。どこもそれなりに活気があった。それが今では京都書院も駸々堂もとっくの昔に消えてしまっている。海南堂も2000年の閉店だったようだ。あの時代、この四条河原町の、駸々堂のお膝元にジュンク堂京都店が出店したことは大きなニュースであった。その意趣返し(?)に阪神淡路大震災の1995年、その年の9月にジュンク堂の本拠地・三宮店の真正面に駸々堂三宮店(国内最大の床面積3000平方メートル)がオープンしたのもセンセーショナルな出来事であった。ジュンク堂の京都進出は洛中人にとってそれほどに苦々しいことだったのか。「書店戦争勃発」と話題になったが、2000年に駸々堂は倒産してしまう。

ジュンク堂の福嶋聡氏によるコラム「本屋とコンピュータ」(人文書院ホームページ)に当時のことが書かれていた。その年(1988年)の年末に「駸々堂の人たちが(ジュンク堂の)主要メンバーを自店の忘年会に呼んでくれ」「ぼくたちを暖かく迎えてくれた」と。

へぇー、殺伐としたものではなかったんだ。バブル景気真っ只中という時代でもあった。福嶋さんが書くように「懐が深かったし」「多くの書店がそれぞれ特色を出して共存」できていた。今は昔の物語である。

## マスクとウィルス

2020年3月14日

毎日が「コロナ」一色に塗り替えられてしまった。いたるところでマスク争奪戦が繰り広げられている。2月26日に菅義偉官房長官が「24時間の生産態勢で月産6億枚」と発表していたので、早晩ゆきわたるのかなと思っていたが、いつになっても店頭は空っぽだ。高値転売の連中が跋扈して世情は殺伐としたものになっている。

ところで、そもそもマスクは必要なのか——。生物学者の福岡伸一『生物と無生物のあいだ』（講談社現代新書、2007年）に19世紀末、ロシア人研究者・イワノフスキーによるウィルス発見（タバコモザイクウィルス）のエピソードが紹介されている。

素焼きの陶板を使って病原体を含む液体を濾過すれば、大腸菌のような単細胞生物は除去される。この原理は今も水質の悪い途上国なので応用されている。イワノフスキーは、タバコモザイク病にかかった病葉《わくらば》の抽出液を陶板を使って濾過してみたのだ。陶板の反対側から染み出てきた液体は浄化されているはずのものである。しかし、濾過液にはタバコモザイク病を引き起こす病原体が残っていた。陶板を通り抜けるほどの、細菌よりもずっと微小な感染粒子の存在が理論的に確認された。ウィルスの発見である。しかしウィルスの存在そのものを視認できるようになるには、1930年代に入ってからのこと。電子顕微鏡の登場まで待たねばならなかった。光学式では像を結ばなかったのである。ゆえに濾過性病原体と呼ばれていた。「大腸菌をラグビーボールとすれば、ウィルスはピンポン玉かパチンコ玉程度」らしい。であればマスクってほんとうに有効なの？

2020年4月21日

## 100年前のパンデミック

1918年3月に始まった、100年前のパンデミック「スペイン風邪」について、興味深い記事が日経紙上で3回にわたって掲載された（「忘れられたパンデミック」2020年4月15〜17日）。世界人口の半数近くが感染し、死者は5千万人から1億人ともいわれ、正確なところはわかっていない。第1次世界大戦真っ只中でのことであり、「欧州戦線では対峙していた全兵士の半数以上が感染」という有様であったらしい。いわゆる「3密」（密閉・密集・密接）を本性的に旨とする軍隊ゆえのこと、激しいオーバーシュートに見舞われた。戦争どころじゃなくなっていたはず。実際このインフルエンザが「戦争の終結を早めた」ともいわれている。日本での流行は、欧米の感染爆発から遅れることおよそ半年。内務省衛生局の記録によると「本流行の端を開きたるは大正七年八月下旬にして九月上旬には漸く其の勢を増し、十月上旬病勢頓に熾烈となり、数旬を出でずして全国に蔓延し、十一月最も猖獗を極めたり、十二月下旬に於いて稍々下火となりしも翌八年初春酷寒の候に入り再び流行を逞うせり」（『流行性感冒「スペイン風邪」大流行の記録』内務省衛生局編、平凡社、2008年）とある。これが第1回目の流行で感染者数約2100万人、死者25万7千人である。皇太子だった昭和天皇も罹患している。その後、第2波、第3波と流行が続き、完全に終息したのは1921年（大正10年）7月のことであったらしい。総感染者数は2380万人、死者は約39万人と記録されている。当時の人口5500万人からすると感染率は43％になる。終息の要因は、多くの人が一定程度の免疫を獲得したこと（集団免疫）といわれている。

ところで日経記事によると、これほどの災禍であったにもかかわらずこのパンデミックを主題的に取り扱った書物は、なんと日本では歴史人口学者・速水融氏による『日本を襲ったスペイン・インフルエンザ』（藤原書店、2006年）、この一冊だけであるらしい。著者の速水氏も先行する研究がほとんどなかったことに「驚くべきこと」だったと話されている。理由は致死率が低かった（約1.6％）ということと、1923年に発生した関東大震災がパンデミックの記憶を片隅に追いやってしまったということらしい。アマゾンでは当該書籍はながらく品切れになっていたが増刷に入った模様。なお引用した『流行性感冒』も現在重版中のようであるが、4月30日までの期間限定で平凡社のホームページから全文を無料でダウンロードできる（私も利用させていただきました）。レーベルは東洋文庫。太っ腹ですね。

2020年6月14日

『女帝 小池百合子』

来月7月に実施される東京都知事選を前にして再び小池百合子氏の「学歴詐称疑惑」騒動が持ち上がっている。この「疑惑」は以前にも一度取り上げたことがある（日誌篇2018年7月3日、『活字の厨房 耳順篇』所収）が、今回の炎上度合いは当時とは比較にならないほどの激しさである。その急先鋒となるのが、先月（5月）発行され爆発的に売れている、石井妙子『女帝 小池百合子』（文藝春秋）である。本書によれば、小池氏はアラビア語の読み書きがほとんどできず、「カイロ大学卒業」は詐称であると断じている。その援護射撃か、都議会においては、著者石井氏の大学の後輩にあたる上田令子都議が小池知事に答弁を「フスハー（文語アラビア語）でお答えいただきたい」などと知事を揶揄するかのような発言もなされた。SNS上では知事のアラビア語能力を「お使い」レベルであるとか、日本で6カ月程度やったレベルなどといった批判的な言辞がかまびすしい。こうした事態の深刻化を受けて、過日カイロ大学からは、小池氏が1976年10月に卒業したことを証明する旨の発表があらためてなされた（過去にも日本の大手メディアから事実確認の問い合わせが大学当局に何度もあった模様でその都度同様の回答を一貫して繰り返してきた。だからか、大手一般紙はこの騒動には一定の距離を置いているようでほとんど報道していない）。

さてほんとうに小池氏の語学レベルはいわれるようにお粗末なものなのか。

YouTubeで検索するとたちどころに中東のメディアからアラビア語でインタビューを受けている小池氏の動画が何本もヒットする。この一連の動画からうける印象は、アラビア語初学者（2年）の私からすれば、ただただ凄い！のひと言につきる。これがお使いレベルだなんて……、わかってゆうてるんかいっ！と声を荒らげたいくらい。しかも小池氏がエジプトを離れて40年以上たっているという条件を加味すればちょっと信じられないほど達者ではないか。初学者ゆえのリアクションなのかもしれないと思いネット上を調べていたら「小池都知事のアラビア語力をどう評価していいのかわかならい方へ」という、まことに時宜を得た記事に出合った。書き手はプロのアラビア語会議通訳者。キャリア35年のベテランの方である。曰く、「知事の発音、イントネーションは極めて正しく、非常に聞きやすい」「『アラビア語を話せる』というレベルを遙かに超えている」と高評価されている。ゆえに「アラブ人は感動するし」「メディアも引用するし」「会った人が直接話したいと思う」と。最新号の『週刊ポスト』（6月26日）には小池氏の「カイロ大学卒業証明書」の拡大写真が、「最大の証拠がこれだ！」と題して掲載された。『女帝』で「写真が小さくて不鮮明で証拠になっていない」と書かれていた写真である。とまれ、文藝春秋VS小学館のメディア合戦をも巻き込んで泥仕合の様相を呈してきたが、当の小池氏はどこか高みの見物を決め込んでいるようにも見受けられる。しかし、そこに何らかの策略がありはしまいか。声高に小池批判に浮かれていると、最後の最後には反転攻勢とあいなり、批判者たちは一網打尽にされちゃうんじゃないか、そんな気がしてならない。そのくらいのことは朝飯前の、したたかな勝負師であるはずだ。

２０２０年7月16日

## もう一つの「ペスト」作品

カミュやデフォーの『ペスト』がこのコロナ禍のさなか、よく読まれているというニュースはもう旧聞に属するが、「自動車のペスト」というもう一つの「ペスト」作品はこれまでだれも話題にしていなかったはず。ブッツァーティというイタリア人作家の作品だ。なんて、知ったふうな口を利いてしまったが、じつは小舎ホームページの「旧著探訪」で取り上げた『タタール人の砂漠』（本書53頁）があまりに衝撃的だったのでこの作家のほかの作品へと食指が動いて……、つい最近出合ったものだ。

『七人の使者・神を見た犬』（岩波文庫、２０１３年）という短編集のなかの一編。本書は、合計15本の小品が収録されているが、『タタール人』同様に、晩秋を迎え老域に踏み込んでしまっているおっさんにはちょっと毒が強すぎるんだけれど、怖いもの見たさからやめられない。やっぱりすごい、ブッツァーティ。ただ唯一、よくわからなかった作品がじつはこの「自動車のペスト」であった。疫病に襲われたときの人々のふるまいやら心理、規範の変容など、書き込まれているディテールは、今まさに私たちが目にしている現象そのものを見事に先取りしていて納得させられる。ただその寓意するところがピンと来ない。

ストーリーはいたってシンプルである。ある公爵夫人のお抱え運転手が主人公。彼が運転するロールスロイスが流行りの「ペスト」にかかってしまう。エンジン音に混じる、まるで気管支炎のようなうつろな異音にその症状がうかがえるのだ。市当局に感染が知られると、郊外に設営された「隔離病院」と呼ばれる、広い囲いの中に収容され、のちにその車は焼却処分となるのだった。年式は古いが、貴族的な上品さをまとった、愛着のある自慢の車である。友人のベテラン修理工にこっそりと治療してもらおうとするが、その友人は当局の検査員に密告してしまうのであった。役人（罹病死体処理人足）たちがやって来て、抵抗する主人公を椅子に縛り付け、有無を言わせずロールスロイスを差し押さえて強制執行する。主人公がいましめを解いて、「隔離病院」へと駆けつけたときには、板囲いの中で車たちが火あぶりに遭っていた。燃えさかる劫火の中から、あの懐かしい声が、引き裂くような叫び声となって聞こえたように思えたのだった——。

「訳者解説」によると、「行政組織の非人間性」「都会の人間の薄情さ」を言おうとしているとあるが、うーん、どうだろう？　平時であればその理解もありかなとは思うが、災禍の真っ直中にある私たちからすれば、単純に「非人間性」や「薄情さ」に収斂させてしまうことにはすこし違和を覚える。感染症が猖獗を極めた社会での「私たち・あなたたちのあり方」に関して侃々諤々のあれやこれやを日々目の当たりにしていて、みんなそこそこの〝事情通〟になっている。幸か不幸か一筋縄じゃなくなっている。どういう読み解き方があるのか、それぞれの〝通〟の立場からいろいろな意見を聞いてみたいものだ。

2020年8月22日

## 『女帝 小池百合子』再び

ようやく真っ当な書評に出合えたように思えた。石井妙子『女帝 小池百合子』(文藝春秋)について評した、斎藤美奈子氏による「小池百合子はモンスター?」と題する一文である(筑摩書房PR誌「ちくま」2020年8月号)。「ネガティブな証言だけを集めてモンスターのような小池百合子像を仕立て上げていく『女帝』の手法はフェアとはいえず、ノンフィクションとしての質が高いとも思えない」。全く同感だ。イエローな雑誌記事のようなノリの話を400頁以上の本に一方的にまとめました、といった感じ。一般に「リベラル」と目される識者たちが『女帝』を絶賛しているのを目にしてヘンな気持ちにさせられていたのだ。ほんらい取材すべきキーパーソンへのインタビューもせず(小池本人には無理としてもそれ以外のおもだった政治家に話を聞くことぐらい可能であったろう)、ほとんど匿名の、裏取りのないような証言だけから著者の予断を事実のように語りつくす作品がはたしてノンフィクションといえるのかどうか。都知事選を前にしたネガティブキャンペーンの一環じゃないの？と思えるほどだった。今年の「本屋大賞ノンフィクション本大賞」の候補作になっていると聞くが、はたして。

小倉孝保『ロレンスになれなかった男』（角川書店・2020年）は、小池百合子のカイロ時代とほぼ同時代のシリア、エジプト、レバノン、イラクなどを舞台にした日本人空手家の物語。中東の警察や治安部隊、諜報部員、政府要人、パレスティナ秘密組織の幹部などを相手に空手を指導していた岡本秀樹という男を描いたノンフィクション作品である。空手指導者という表の顔と、政府中枢にまで知己を広げ、闇商売にまで手を染めながら裏の世界をも生き抜いた、一筋縄ではいかない破天荒な生涯。劇画タッチのおもしろさである。『女帝 小池百合子』に朝堂院大覚氏の証言で「百合子からは、ある男を紹介された。（略）カイロで空手を教えているヤツやった。その男と一緒に空手の雑誌を作りたいから金を出して欲しいと頼んできよった。（略）数百万、出してやった」。1975－76年頃の話として紹介されている。「その男」というのは「岡本秀樹」でなかったか。岡本がエジプトに入ったのが1976年1月。第4次中東戦争でイスラエルと戦ったエジプト軍の特殊部隊「サーカ」の最強ユニットのメンバーを相手に空手を指導していた。

## Being on the road

2020年9月5日

この夏は、沢木耕太郎『深夜特急』（新潮社、1986-92年）を30数年ぶりに再読した。「ステイ・ホーム」の反動か、はたまた「GoToキャンペーン」とやらの毒気にあてられてしまったか、単行本の第1便から第3便、プラス『旅の力 深夜特急ノート』（新潮社、2008年）の計4冊を寝間に持ち込んで堪能した。ほとんど内容は忘却していたので、旅の途上に偶発する様々な出会いが初読のように楽しめた。そして旅の後半で著者が苦悩する「旅の終え方」に、今のコロナ禍の日々を重ね合わせることになった。ほんらい非日常を本性とする旅が久しくなるにつれ日常に変容してくる。非日常と日常のあわいを旅心は揺れ動き、旅をどう切り上げればいいのか決断が下せず、宙ぶらりんの状態が続く。「旅の終わりを求めて旅をする」というヘンなことに。それでも旅のばあいは「こちらから求めた、開放系の非日常」ゆえに、その「求める」ことをやめれば、少なくとも旅を打ち切ることは、論理的には可能だ（実際はその非日常が日常化して腑分け不能になって困難を極めるわけだ）。しかしながら、このたびのコロナは「向こうから押しかけてきた、閉塞系の非日常」だ。こっちが選んだものじゃない。私たちの側からこの「非日常」に終止符をうつことはかなり厄介である。しかも戻るべき日常そのものがかつてなじんでいたものでなくなってしまっている。「コロナ生活の終え方」。それは感染の終息とか、特効薬の誕生などを意味するのではない。擬似的日常のなかから、揺ぎない、新しい日常を創造する。最近よく耳にするようになった「新しい生活様式」とか、「ニューノーマル」ということになるのだろうか。もちろん、そんな面倒はうっちゃっておいて、文字通り見境なく、そのあわいに耽溺してしまってもいいはずだ。沢木流にいえば「Being on the road」の境地で。

**第5回イスラーム映画祭**

２０２０年9月23日

9月19日から25日まで神戸・元町映画館では「イスラーム映画祭5」が開催されている。もともとは5月の連休に計画されていたもので、このたびのコロナ禍で延期となっていた。初日（19日）夕方5時からの上映作品、西サハラのドキュメンタリー映画『銃か、落書きか』を観る。午前11時前にチケットを買っておいたのだが、整理券番号が33番。全席66席のミニシアターだから半分がすでに売れている計算。ところが入館して気づいたのだが、左右1席ごと空けてあったので収容人数は半分となり、ひょっとしたら最後の1枚だったのかもしれない。6時間前にほぼ完売!? 自粛ムードにうんざりしてしまった人たちが一気に動き出したか、それとも、コロナ禍によるミニシアターの経営的苦境がニュースになっており、ここ元町映画館もメディアにしばしば取り上げられていたので多くの人の関心を引いていたか。といっても演目は「イスラーム」である。それほどに人気があるとは思えない。しかも典型的な「3密」ゆえに敬遠されがちな映画鑑賞である。清々しい秋晴れの4連休初日にふつう目指すべきところではなさそうに思えるのだが……。たまたま出会った知人も、お昼からの『アッ・リサーラ』を観る予定だったのがチケットは売り切れであったという。預言者ムハンマド時代を描いた3時間半にもおよぶ長尺もの。これが売り切れだなんて、ちょっと信じられない。翌20日は、新開地の神戸アートビレッジセンターでこれまた中東映画『シリアにて』を観た。念のため開場2時間前にチケットを買った。整理券番号は1番。なーんだ、焦ることはなかったか。ちょっと肩すかしではある。上映が始まって観客数をカウントすると、私をいれて8人であった。岩波ホール改装前の最後の上映作品に選ばれたのがこの『シリアにて』。作品そのものに「岩波」の権威づけがなされた新聞報道を目にしていたので、もうすこし入っていてもよさそうに思ったけれど、とっくの昔にそんな時代じゃなくなっている。冷静に考えればこれが中東映画の相場なのだろう。ところが、見終わって元町映画館へとって返して『ガザ』を観ようと駆けつけたら開場1時間前ではあったがこちらのほうは案の定完売であった。イスラーム映画祭も第5回目となりお客さんのほうも定着してきたのだろうか。あるいはミニシアター支援の輪が広がってきたのか。ともあれ例年にない盛況ぶり。

## The Melody At Night, With You

２０２０年10月23日

昨日の朝日新聞夕刊に、ジャズピアニストの「キース・ジャレットさん手にまひ」という見出しで「復帰困難か」との記事が載っていた。２０１８年に脳卒中を患い、現在「杖を使ってなんとか歩ける」状態で、左手が回復してもコップを握ることがせいぜいだろうと語っている。奇跡が起こらないかぎりほぼ演奏は絶望的のようだ。

２００５年頃だろうか、もう15年も前になってしまうけれど、大阪編集教室の事務局に詰めていた頃のこと。30歳過ぎの受講生の男女ふたりが「これ、いいよな」とキースの「The Melody At Night, With You」のＣＤを手に盛り上がっていたのを思い出す。当時話題のアルバムだったので私も持ってはいたが、へぇそうかなという程度でしかなかった。どちらかといえばジャケットの写真のように、どこか霞がかかったような、ぼんやりとした印象であった。だから彼らの熱く語り合っている様子がとても意外に感じ、今でもはっきりと記憶に残っている。それがつい数年前、久しぶりに聴いたところ、（ほんとに遅ればせながら）めちゃくちゃええやんとなって、他のアルバムも渉猟してキース三昧に陥ってしまった。この「Melody At Night」は確か、数年にも及ぶ闘病生活後の復帰間もない頃、自宅のスタジオで録音された作品だ。病み上がりゆえなのか、あるいは観客がいない自宅ゆえのことなのか、全体に静謐さが漂う。おなじみの、興が乗ったときに発せられる唸り声もこのアルバムに関しては、ない。計算しつくされた一つ一つの音がしっとりとしみこんでくる。

2020年11月25日

## 忠臣蔵と酒蔵

兵庫県赤穂市の坂越《さこし》というところへ行ってきた。北前船の寄港地でもあった小さな港町である。かつては栄えたであろう佇まいが今もしのばれるが、残念ながらその多くが空き家となってしまっている。そのうちの何軒かを若い人たちがカフェやスイーツ、雑貨などの店に改装して新たな魅力を発信し始めている。

その通り沿いに重厚な甍と白壁がその歴史を伝える酒蔵があった。「忠臣蔵」(奥藤家)という銘柄のお酒をつくっている。赤穂と忠臣蔵の取り合わせのべたさ加減に〝昭和〟の時代臭を感じたのだけれど、この蔵元、創業がなんと1601年という。関ヶ原の合戦が終わってまもなくの頃。「兵庫県で二番目に古い」蔵元なのだそうだ。「二番目」とくれば、じゃあ一番は? 調べてみると、さらに100年ほど遡って1505年創業の、灘五郷にある「剣菱」であった(ちなみに日本最古は茨城県にある須藤本家で1141年だそう)。その剣菱を紹介した一文に「赤穂浪士が討ち入り前に杯を酌み交わした銘柄」との記述があった。奥藤家は赤穂藩主浅野家の御用酒蔵であったが、江戸では「剣菱」を飲んでいたか……。

他人事ながら残念。都合のいい故事来歴はそうそうにあるもんじゃないということだ。

以前買っていた、鎧啓記『北前船おっかけ旅日記』（無明舎出版、2002年）という一冊を思い出した。北前船の全国の寄港地を取材した内容のもの。「坂越港」に言及されている箇所を拾い読みする。港の後背に位置する小高い山に大避《おおさけ》神社という、おそらくは大波が襲来したおりの住民の避難場所でもあった、その神社に奉納されている船絵馬に言及されていた。曰く「日本で二番目に古い」ものだそうだ。こちらの一番はまだ調べていない。

2020年12月8日

## パピチャ

映画『パピチャ 未来へのランウェイ』（2019年）を観た。街中ではテロが頻発し、イスラム原理主義が日を追うごとに幅を利かせてきつつある「暗黒の10年」といわれる1990年代のアルジェリアを舞台にした作品。ファッションデザイナーを目指す主人公の女子大生とその女友だちが繰り広げる青春物語である。夜間こっそりと大学寮を抜け出してディスコに繰り出し、そこで彼女自身がデザインした手作りドレスを売る。黒尽くめのヒジャブの着用を強要する周囲からの圧力に、文字どおり命がけで抗って、なにものにも束縛されない自由なファッションを追い求めるのであったが、その代償はあまりにも大きかった……。実話をもとにした作品とのことであるが、アルジェリア国内では上映は許可されていないらしい。

ところでタイトルの「パピチャ」とは現地の言葉で「愉快で魅力的で常識にとらわれない自由な女性」を意味すると映画の公式ホームページに解説されている。アラビア語にP音はないので、北アフリカ一帯のベルベル系の土語かもしれない。私は字幕を追いかけるのに精いっぱいで聞き取れなかったのだけれど、お世話になっているアラビア語の先生によると、寮の守衛のおやじが夜な夜な部屋を抜け出して出歩く彼女たちに向かって怒気を含んだ調子で「パピチャ」と呼びかけたり、ナンパ目的で彼女たちに近づいてきた男子学生がチャラい態度で「パピチャ」と声をかけてきたり、そうしたシーンでの使われ方であったらしい。であれば、解説にあるような「愉快で魅力的」「自由」といったポジティブな意味合いというよりは、どちらかといえばネガティブな言葉の印象である。社会の規範から逸脱気味の、やんちゃな女の子のイメージに思える。その逸脱が欧米からの視点をとれば解放された女性像を意味するゆえに肯定的な意味合いになりうることは理解できるが、押し付けがましさを感じないでもない。

10月30日付けで掲載されていた2紙の映画評では、それぞれパピチャを「若く可愛い女性」(朝日夕)、「お転婆娘」(日経夕)と紹介してあった。「お転婆娘」のほうがピッタリきそうかな。

## 『鬼滅の刃』と柳田國男

2021年1月3日

昨年圧倒的なブームをもたらした漫画『鬼滅の刃』であるが、恥ずかしながら私は、12月初旬、単行本最終23巻の発売ニュースが大きく報道されるまで知らなかった。累計1億2000万部という桁外れの、モンスター・セラー。仙人のような暮らしをしているわけでもないのに社会との疎隔感に我ながら大丈夫かいな?と不安になってしまう。

知人からあらましのレクチャーを受けた。時代背景は大正。鬼に家族を惨殺された、炭焼きを生業とする少年とその妹が鬼退治に向かう。凄惨な戦闘シーンが多く、血しぶきが飛び交う。子どもにとっては刺激が強すぎるような気がしてはじめは抵抗感があったが、今ではすっかりはまってしまった……と。

あ、それって「柳田國男」じゃないかなとふと思ったのだった。『山の人生』の最初に出てくる「山に埋もれたる人生ある事」だ。今日食べる一粒の米もない極貧一家の話。炭焼きの50過ぎの父とその息子（13歳）と、同じ年頃の養女の3人家族。子どもながらに家計の事情はわかりすぎるほどにわかっている。秋の夕暮れ。父がうたた寝からふと目が覚めると、日だまりのなかで子どもたちが斧を研いでいる。そして「おとう、これでわしたちを殺してくれ」と言って、材木を枕にして仰向けに寝た。その姿に「くらくらとして、前後の考えもなく二人の首を打落してしまった」という実話である。あの二人の子どもが今よみがえって世の不条理との戦いを始めたにちがいない。

『新編柳田國男集第一巻』（筑摩書房、1978年）の解説をみると、『山の人生』の初出は、大正14年1月から8月まで『アサヒグラフ』に連載されたとあった。『鬼滅の刃』をいまだ実見していないのでなんとも無責任な物言いなのだけれど、「大正」「炭焼き」「兄妹」「血しぶき」のイメージからすれば、『鬼滅の刃』はまさにこの一家だ。

2021年2月3日

## モロゾフとトルストイの娘

窮狸校正所の森卓司さんより岡部芳彦『日本・ウクライナ交流史 1915－1937年』をご恵送賜った。神戸学院大学出版会発足の第一弾となる記念すべき作品で、その制作を請け負われた由。キリル文字が混在する組版だけれどすっきりときれいな誌面に仕上がっている。「日本人がロシア人だと思っているのが実はウクライナ人だったりします」と森さん。書名に含まれているこの時期（ロシア革命の1917年前後）はボルシェビキを嫌った白系ロシア人の日本への亡命が相次いだ。

「白系ロシア人」の呼称は、旧帝政ロシア領土出身者の反革命派エクソダスをひっくるめて指すと考えれば、スラブ系のロシア人だけでなく、トルコ系のタタール人や、本書のテーマであるウクライナ人も多く含まれていた。第5章では満州ハルビンの地で手広く商売をしていた資産家のウクライナ人（白系ロシア人）、セルゲイ・タラセンコ氏が紹介されている。本書にもあるとおり、その娘オリガが神戸のコスモポリタン製菓（元神戸モロゾフ製菓）のモロゾフ家（この一家も米国経由で神戸に移住した白系ロシア人）の長男ワレンティンと結婚して日本で暮らした。三ノ宮本店の店頭に立たれていた晩年のオリガさんの姿を記憶されている人も多いと思う。残念ながらコスモポリタン製菓は業務不振で2006年に廃業。モロゾフ一家の大正から昭和までのドラマチックな物語は、川又一英『大正十五年の聖バレンタイン 日本でチョコレートをつくったV・F・モロゾフ物語』（PHP研究所、1984年）に詳しい。

ところで、この本で文豪トルストイの娘が芦屋に住んでいたことを知った。神戸までの電車賃を節約して自転車でトアロードの坂道を「太った躰から苦しそうに息をはずませて」モロゾフの店までやってきていたらしい。当時15歳だったワレンティンは「男のような話し方をする中年のおばさんと白い髭の文豪とはどこか結びつかない気がした」と回想する。トルストイの四女、アレクサンドラ・トルスタヤである。1929年から2年弱、日本に滞在していた。ソビエト体制の矛盾・圧政に辟易していた彼女は、日本からの講演依頼を受けるというかたちで国外脱出を図ったのだった。彼女の日本滞在記が出版されている。『お伽の国―日本』（ふみ子・デイヴィス訳、群像社、2007年）という一書。自転車に乗った中年のおばちゃんのイメージが強すぎたか、あまり期待しないで読んだのだけれど、これがめっぽう面白かった。交流した日本人のロシア文学者たち、進歩派をきどった社会主義礼賛の日本人女流作家との論争、岩波書店の岩波茂雄との出会いなどなど、昭和初期の世相が活写されていて興味深い。さすがにトルストイの血を引く、観察眼の鋭い、かなりの教養人なのだった。「岩波書店主の岩波さんに依頼された本を書くにあたって、（略）芦屋の海辺の小さな家に住むことになった」。芦屋にはほんの数カ月の滞在であったのかもしれない。その後『トルストイの思い出』（八杉貞則・深見尚行訳、岩波書店、1930年）を上梓。1931年彼女は米国に亡命した。

2021年2月18日

**『イスタンブール、時はゆるやかに』**

古本屋さんで何気なく手にした、澁澤幸子『イスタンブール、時はゆるやかに』（新潮文庫、1997年）は、衝撃的な本であった――。

著者は、1981年にイスタンブールを訪れて以来、トルコに魅了され、その後足しげく通いつめる。本書は、その最初の訪問から10年あまりのあいだの、複数回におよぶ旅の記録がもとになっている。冒頭、ギリシャから鉄路でイスタンブールへ向かう列車内の話から始まる。著者にとってはじめてのトルコである。欧米6カ国から9人の若いバックパッカーたちが五月雨式に一つのコンパートメントに集い、6人掛けのシートはぎゅうぎゅう詰めで、「ランチタイムはちょっとした饗宴となった。パンやチーズやソーセージが飛び交い、コーラや水のびんがぐるぐる廻る」。今のパンデミック下ではまったく「アウト!」であるが、いかにも若者たちの楽しい雰囲気が伝わってくる。著者のノリもよく、旅の途上、現地の老若男女から受ける、中東特有の過剰なホスピタリティにも臆せず応えて、イスタンブールだけでなく、アナトリア地方の津々浦々においても、たくさんの出会いがあって、たくさんの親切を全身で堪能し、トルコの人と風土の魅力を存分に伝える。フットワークがすばらしい。さらに歴史を語る解説部分も浅からずくどすぎず、手際がよい。引用される文献も14世紀のイブン・バトゥータであったり、ギリシャ映画『旅芸人の記録』(1975年)であったり、ちょっとしぶい。バックパッカーものの域を超えて文明批評ともいえる内容になっている。

すごい女の子だなあと思って、著者プロフィールに目を通した。

「故澁澤龍彦氏の妹」とあって思わず「えっ?」となった。澁澤龍彦って、私の親父の世代。その妹となると……、女性だからなのかそこには生年が記されていない。ググルと「1930年生まれ(91歳)」であった。ということは、はじめてトルコへ向かった1981年は51歳。そこから60歳をすこし過ぎるあたりまでの旅をしるしたということだ。私は、

20代半ばから30代前半の女性を想定して読んでいた。どこかで読み落としがあったのか。こちらの勝手な思い込みだったか。ずいぶん昔読んだミステリー小説で、実際は老齢の主人公なのにその挙措の描写において読者には壮健な青年と思い込ませて成立するトリックがあったのを思い出した（書名はネタバレになるので書かない）。いずれにしてもこの旅の軽快なイケてる感は、一般的には青年期のそれである。すごい！　全くもって素敵である。こちらとて、まだまだがんばれるぞ。元気をもらった一冊であった。

２０２１年3月4日

**マイナンバーカード**

マイナンバーカードの交付申請書が郵便で送られてきたのを機に過日オンラインで申請した。遅ればせなのか、いや、まだ取得率が25％程度ということからすれば、早いほうなのかもしれない。個人情報が一元化されて国家による監視体制下に丸ごと組み込まれてしまうことを危惧する声を耳にするが、たしかにそれも怖いことだけれど、そういった問題以上に、そもそもデジタルセキュリティに関して世界標準並みの感度と技量があるのかという点が大いに問題だ。このあたりがじつに疑わしく、私は端から信用していない。「パソコンに触ったことがない」「ＵＳＢって？」といったレベルのサイバーセキュリティ大臣を担いでいた日本である。つい最近、コロナ接触情報アプリ「ＣＯＣＯＡ」の不具合の報道があったが、そのあまりにもお粗末な顛末は耳を疑うほどのものだった。昨年10万円の定額給付のオンライン申請にしたってシステムがほとんど動かず、結局は郵送での申請を推奨するといったなんとも時代錯誤な無様な失態を演じたのは記憶に新しい。ITに関する日本の技術レベルは、悲しいかな、世界的にみてかなり低いことはこのコロナ禍に見舞われて以来、多くの人が知るところとなっている（世界のデジタルランキングでは1位米国、2位シンガポールとはじまって日本は27位だそう）。とはいってもいつまでもグダグダしていても仕方がないのでえいやっの思いでカード取得に取りかかったという次第。

オンライン申請なのでまずは写真を準備することから始めるのだけれど、肝腎の写真データについての説明がまったくない。データゆえ、当然解像度の基準が示されてしかるべきであるが、送られてきたパンフレットや、ネット上の案内サイトを隅から隅までチェックしたけれど、それに関してはひと言も触れられていない。縦4・5㎝×横3・5㎝とあるのみ。解像度は不問なのかな。ともあれ、自宅で白い壁をバックにiPadで自撮りした写真をPhotoshopで規定のサイズにトリミングして準備したのだった。インターネット上の申請サイトにアクセスし、表示された入力画面に申請IDナンバーを打ち込み、メールアドレスを登録する。と、メールでログイン専用のURLが送られてきて、そこから再びログインする。画面に表示されている個人データを確認し、生年月日を入力し、そして最後の最後、写真をアップロードする画面に進んだところで、縦・横ともに「480ピクセル以上」という基準が記されていたのだった。この段になってそんなことといわれても困るじゃないか……。準備した写真がどうだったのか確認するのも面倒で、とりあえずはその写真ファイルを選択してアップロード・ボタンを押すと、瞬時にしてピクセル不足ではねつけられてしまった。あとでみると数十ピクセル不足であったようだ。最終ステップのここに至って申請作業はいったん中断せざるを得ず、後日あらためて写真の準備からやり直すことになってしまった。面倒くさいこと、この上ない。じつに忌々しい。申請など未来永劫してやるものかっ！　再チャレンジまで数日の冷却期間を要したのであった。

2021年4月20日

**中村天風**

『こころのおきどころ』（井上太市郎著）という本を刊行した。書名は、著者が師と仰ぐ中村天風（1876−1968）の「人生は心一つの置きどころ」に由来する。天風哲学を実践されてきた著者が日々の会社経営のなかで気づいたこと、感じたことを99のコラムにしてまとめた一冊。じつは私は半世紀以上前、天風会に参加したことがある。1960年代半ばの10歳にも満たない頃、父に連れられて神戸支部の夏期修練会に2、3年通った。場所はいまの新神戸駅（山陽新幹線の開通前なのでまだ駅はない）あたりから山側に入っていいったところ。お寺だったか、小学校であったか、記憶は定かでないが、そうした場所を借りて開催されていた。運動場のような広場で男性は短パンに上半身裸（女性は木綿生地の白いワンピース型の運動着）になって天風会独特の体操をしたり、全員で誦句を元気よく発声したり、講堂で座禅を組みながら天風先生のお話を聞いたり。座禅といっても、うとうとまどろみながら耳にする天風先生のお話はほとんど理解できなかったが、インドの奥地へ修行に向かう、命からがらの旅の話はスリル満点で子どもながらに面白かったなあという記憶は残っている。

ほんとに何も学ばず恥ずかしい限りではあるが、今となっては生前の哲人天風の謦咳に接することができたという事実だけでもちょっと誇らしく思えるのだ。病弱だった父に天風会を勧めてくださった父の友人は今もご健在で、私の母宛に送られてきた今年の年賀状には、93歳にして「ユーチューバーをしています」というコメントが記されていた。1回15分程度の講話にまとめて、若かりし頃の思い出を披露されている。最初の数回はまさに1950年代から60年代の中村天風にまつわるエピソードだった。おかげで、ぼんやりと脈絡のない記憶の断片であったものに、すこし輪郭が与えられて、降り注ぐ蝉時雨と、燦々と照りつける黄色い太陽の下で繰り広げられていた修練会の光景が懐かしく思い出されるのだ。

## 志賀直哉とスペイン風邪

2021年5月3日

過日、NHK（BS）でスペイン風邪を題材にした「流行感冒」（主演・本木雅弘）というドラマがあった。原作は志賀直哉。こういう作品があったのか……。1919年（大正8年）3月に『白樺』誌上で発表されたもの。私は学生の頃、志賀直哉の愛読者であった（当時お小遣いを貯めて岩波書店から刊行された全集14巻＋別巻を古本屋で買った。清水の舞台から飛び降りるほどの覚悟で手に入れたものだけれど、今では全集モノは二束三文だ！）。いわゆる私小説というものに惹かれ、私小説以外は認めないといった偏った人間であった。今ではまったく読まなくなってしまったし、フィクションのほうが好みになってしまっているが、ひさしぶりに作品を読んで、著者の、ある種、優柔不断で自分勝手な潔癖ぶりの作風に、ああ、この感じ、思い出したぞ、と懐かしさを感じた。自分のみならず他人に対してまで潔癖を強いながら、それが自他ともに完遂されずにいると不愉快になる。そして癇癪を起こしては、それがまた原因となって自らをさらに不快にしてしまう。自身の「気持の不統一」がもたらす不愉快。読後、こういう心の持ち方ができるのは、青年の特権ではないのか、そんな気持ちにさせられた。潔癖を貫き通せない、妥協に慣れっこになってしまった自身に一抹の寂しさを感じもした。

2021年5月23日

## 『脳みそカレー味』

「日本酒高額転売 悩む蔵元」（日経夕刊、2021年5月22日）という記事があった。希少性の高い（流通量の少ない）日本酒銘柄が高額で転売されている。「幻の」などと冠されると、720㎖で小売価格数千円が何万円にも跳ね上がって売られている。この記事を読むまで、高額な値付けは、その蔵元にとって箔をつけてくれることとなって歓迎する気持ちがどこかあるんじゃないかと思っていたのだが、「日本酒ファンが離れかねない事態」と危惧しているのだった。正規ルートを経ない流通過程の状況は確認のしようがなく、商品管理の不徹底による品質低下も心配される。蔵元は特約店へ卸す際にラベルに特約店名を印字して販路の追跡ができるような措置をとるのだが、転売業者はその特約店名を塗りつぶして販売しているという。特約店にしてもその来店客が転売目的なのかどうかはわからない。そもそも「お客さまを前に疑心暗鬼になるのは、商人として悲しい」と。何かで話題になってそのお酒を飲んでみようとネット上で探すと、びっくりするような高値になっていて諦めたことは私も何度も経験した。個人間取引の自由は保障されなければならないけれど、あまりに度を過ぎたものには「無茶しよるな！」と冷めて相手にせず笑い飛ばしてやろう。

……とこんなことを書こうと思ったのは、今日の日経「私の履歴書」の記事がきっかけである。5月は女優の吉行和子さんが執筆されている。インド研究家の山際素男氏による引率で、岸田今日子氏と一緒に行ったインド旅行に言及して、その旅の顚末が山際氏の手で『脳みそカレー味』（三一書房、1985年）という楽しい本になったとしるしていた。もう35年以上前になる本だけれど記憶があった。本棚から探し出して先ほどまで読んでいたのだが、吉行・岸田両氏の浮世離れした感性がキレまくった、抱腹絶倒モノの〝迷著〟となっている。で、ひょっとしたらと思い、さきほどアマゾンの古書コーナーでの値付けを確認してみた。送料別で最低価格が9000円、最高価格が32100円。案の定「無茶しよるな！」であった。ちなみにメルカリではSOLDであったが「目立った傷や汚れなし」状態で400円（送料込み）であった。平時ではそんなもんでしょうね。

2021年6月12日

## GDPとデフレ

菅義偉政権下において経済政策ブレーンの一人といわれるデービッド・アトキンソンという方のコラムが日経朝刊にあった（2021年6月11日）。コロナ後の経済政策について、設備投資の喚起と労働分配率の引き上げ（賃上げ）の必要を訴えている内容なのだが、すこし奇異に感じたのは、その前提となる日本経済の見方だ。個人消費の低迷に言及して、これは何も日本に限ったことではなく、消費税を上げていない国もデフレ下にない国も同様なのだと述べて、消費増税とデフレのせいにしているのは「井の中の蛙である」とあった（さしずめ私は〝蛙〟であるようだ）。１９９４年から２０１９年の四半世紀で、日本のＧＤＰは約50兆円増、消費は約64兆円増、設備投資が約12兆円減という数字を紹介して、「これは世界と同じ動向なので、消費税やデフレはそれを強めただけである」と。そうなのか……世界と同じなのかと納得させられそうになったが、「動向」はたとえ「同じ」であったとしても、日本とその他の国々とのＧＤＰ推移の比較において、日本の状況は同日の談として扱えるような次元じゃなかったはず。

というわけでさきほどＩＭＦ（国際通貨基金）による国別ＧＤＰ推移という統計をプリントアウトして眺めてみた。ＧＤＰ世界1位の米国は１９９４年当時7兆２８００億ＵＳ＄であったのが、その25年後の２０１９年には21兆４３００億ＵＳ＄となり、１９９４年当時を１００とすれば２０１９年は２９４％に拡大している。ドイツが2兆２０００億ＵＳ＄から3兆８６００億ＵＳ＄となって１７５％。以下国別に比率だけを示すと、英２２８％、仏１９４％、伊１８４％、加３００％、東アジアでは韓国３５５％、台湾２３８％、中国は桁違いで２５５０％。さて、日本は4兆９９８０億ＵＳ＄が5兆１４８０億ＵＳ＄で１０３％である。この25年間ほとんど変化なし。低迷どころか停滞してしまっている。日本とこれほどに成長しなかった国はない。「強めただけ」にしては惨憺たる有様である。日本と諸外国のそれと「同じ動向」といわれても、金額ベースの絶対額の増え方は月とスッポンなのだ。こんな前提でいろんな政策提言をされてはは迷惑千万なことになりはしまいかと危惧する次第であります。

**「オスマン帝国外伝 愛と欲望のハレム」**

２０２１年7月28日

とりあえず無料版は見終わったぞ！「オスマン帝国外伝 愛と欲望のハレム」である。世界80カ国以上で放映された、トルコの連続ＴＶドラマ（原題「壮麗なる世紀」）。アマゾンで「シーズン１」（48話分。1話が50分前後）が無料放映になっていたのを機に視聴した。テレビの連続ドラマなるものをきちんと見ようと思ったのは、実はこれが生まれてはじめて。世界を席巻したあの「おしん」だって、先日脚本家の橋田壽賀子さんを偲んでＴＶ放映された追悼ドキュメンタリー番組のなかで断片的に紹介されていたものを垣間見た程度で、これまでなんとなく見たような気になっていただけ。連続ドラマの定番中の定番、ＮＨＫ大河の歴史物も生まれてこの方一度も見通したことがなく、それゆえに一般的日本人がもつ、最低限の歴史的素養において、私の場合著しく欠落する部分があり、どこそこの戦国武将やら、何代将軍やらの、だれそれのヨメがだれで、その息子が……なんてことに話題が及ぶと、もうちんぷんかんぷんでちょっと恥ずかしい。ともあれスレイマン皇帝が統べる16世紀のオスマン帝国については「どこそこのだれそれ」に関してはわずかながら詳しくなった。権謀術数が渦巻き、魑魅魍魎が跋扈する宮殿とその後宮（ハレム）において、クリミアからさらわれてきた奴隷の側女ヒュッレムが皇帝の寵姫に取り立てられ、ついには妃にまでのし上がっていく物語。数年前、イスラム学者の中田考氏がこの番組を見て「ヒュッレム呪われよ！」とツイートされていたが、張り巡らされた詭計にはそれ以上の奸智を持って命がけで戦い抜いていくヒュッレムのしたたかな生き様が私にはなんとも魅力的だった。「稀代の悪女」として描かれることが多いそうだが、ヒュッレム生誕の地であるウクライナやポーランド（当時のウクライナはポーランド領）では人気が高く、文学やドラマの題材になっているらしい（小笠原弘幸『オスマン帝国 英傑列伝』幻冬舎新書、2020年）。

ところでこのドラマは、全編がシーズン1から4までとなって、とりあえずシーズン1を見終えたというだけ。日本語字幕版は総計312話であるからまだまだ先は長い。

2021年8月27日

## 『小倉昌男 祈りと経営』

「宅急便」の生みの親、小倉昌男氏（1924-2005）を取り上げたノンフィクション作品、森健『小倉昌男 祈りと経営』（小学館文庫、2019年）を読んだ。無明舎出版の舎主安倍甲氏がブログで絶賛されていたのを目にしたことがきっかけだ。「大成功した企業経営者の物語なんか読んでもしょうがない、という偏見」があった（2021年8月11日）と記されていたが、どちらかといえば私も同じような嗜好にあって、功なり名を遂げた企業家の書いた本や、名経営者といわれる人物伝や経営論といった類の本を手にしたことがこれまでほとんどない。しかし「偏見」を持った人が大絶賛しているのであれば、これは読まなくてはならない、そう思った。予想どおり巻を措く能わずの面白さだった。

小倉は、ヤマト運輸の経営から一線を引いたあと、私財46億円を投じてヤマト福祉財団を設立し、障害者を支援する活動に入る。なぜ障害者福祉なのか。現役時代にはそうした方面に興味があるようには全く見えなかった小倉を、何がそこまで駆り立てていったのか。成功した企業家の社会への恩返しといった文脈で、通り一遍の捉え方で片づけられてきた。しかし著者はそこに微かな違和を嗅ぎ取る。小倉の生前に付き合いのあった人物を一人一人訪ねて取材を進めていく。「真の動機」は何だったのか。様々な証言を積み重ねていくことでその核心にじわりじわりと迫ってゆく。その展開は、まるでミステリー小説を読んでいるかのよう。これまでだれにも知られなかった、小倉の心の奥深くに秘された苦悩が、少しずつ姿を見せてくる。救いようのない深い悲しみと孤独のただなかにあってこそ、人は人にやさしくなれるのかもしれない。そう思わされた。

## コンピュータ言語COBOL

2021年9月7日

「2025年の崖」という言葉を知った。大手企業の基幹業務を担っている、半世紀近く前に開発されたコンピュータシステムの、そのメインテナンスに対処できるエンジニアが業界を離れたり鬼籍に入ったりして、システムの中味そのものが誰にもわからなくなってしまうことをいうのだそうだ。そのタイミングが2025年という。

つい最近「またか！」とニュースが駆けめぐった、みずほ銀行のシステム不具合はその兆しといえるのかもしれない。『週刊現代』（9月11・18日号）が報じる「みずほ銀行を追い詰めた「あるエンジニアの死」」という記事によれば、度重なる障害に懲りたみずほ銀行では、4000億円の費用をかけて開発した新システム「MINORI」が2019年に稼動を始めたが、そのシステムは全面改訂されたものではなく、部分修理だったのではないかと伝えている。いわく1980年代に使われていたコンピュータ言語COBOL（コボル）で記述されたプログラムやデータ部分がMINORI内部にいまだ残っている可能性があると指摘する。

「COBOLを使った部分をなくして、別のプログラム言語で書き換えてもよかったはずなのに、それもしなかった」「なくさなかったのではなく「なくせなかった」のではないか」という。すでにシステムの一部がブラックボックス化して、アンタッチャブルな領域が生まれてしまっているということか。「交換したい部品が古すぎて替えが利かず、やむなく油を差して閉めた」というような顚末だったのか。

COBOLは1959年生まれのコンピュータ言語。いまや「化石」と呼ばれる、還暦を過ぎた言語である。使いこなせるエンジニアも激減してしまっているため、みずほ銀行のみならず、COBOLで動いているシステムの保守改修に四苦八苦している実情が日本の産業界にはひろく存在しているらしい。

1980年（昭和55年）、学校を卒業して入社した会社でCOBOLの研修を受けたことを思い出す。全社員の中から新入社員だけを抜き出した名簿を作るという課題だった（今だったら個人情報保護に抵触する課題ですね）。プログラムを書いて、それをパンチカードに一枚一枚打ち込んで、そうしたカードの束を銀行の札束を数えるような装置で読み取る。はたして、DATA DIVISIONがDATE DIVISIONとスペルミスをしてエラーリストしか出力されず、のちに理系出身の同僚に助けてもらった。ああ、懐かしい。パソコンもワープロもなかった、そんなセピア色の時代の言語がこの令和の時代に世界的なメガバンクのシステム内で生きながらえていることに、周回遅れともいわれる日本のデジタル界の一端が垣間見える。

## イワタ新聞明朝体

2021年9月18日

6－7年前から毎年開催していた学生時代の同期会がコロナ禍により中断している。東は東京、西は広島の間のどこかに年1回集まるというものだ。昨年は関西在住の者が主催となって京都の地を予定していたのだがのびのびになっている。そこで各自の近況を伝える新聞を発行することになった。外野席からは「いまどき新聞って何それ!?」という反応もあり、たしかにこういう場合はFacebookというツールが正しい選択なのだろうが、還暦を過ぎたわれわれの中ではそう違和感を持つ者もいないまま、新聞でええんちゃうとなった。さすがに印刷して郵送というわけではなく、ＰＤＦに書き出してメール添付で送る。当方で割付を担当することになった。Ａ４ペラの1－2頁もので適宜刊行。活字は、組版ソフトのおまけについていた「イワタ新聞明朝体」があったのを思い出し、活字の天地を80％に縮小した平体にして組むことにした。線の抑揚が小さい新聞明朝特有の書体がそれっぽい紙面を演出してひとり悦に入っていたのだが、これに言及してくれるメンバーは一人もいなかった。読み手からすれば書体なんてやっぱり気にならないものよね。

そんなふうに思ったのは先日、正木香子『文字の食卓』（本の雑誌社、２０１３年）を読んだことがきっかけだ。書籍の本文に使われる書体を中心に、著者がその印象と思いを語る内容である。本文用の活字は見出しや広告向けとは違っていかに「風景にとけこむ」かが要諦とあった。たしかに小説が全頁ゴシック体で組まれていたら目が痛くなってしまいそう。とにかくふつうであることがポイント。目立っちゃダメ。著者は、そうした個性がない書体の、微妙な立ち居振る舞いの機微を穿って、その特性を読み解いていく。常人には困難な、著者の卓越した感性があってこそ本書のテーマは成立する。

ところで、ここで取り上げられている活字は、今は昔の写植時代に栄華を極めた写研のものがメインで、DTPで作業するようになってからはほとんど目にしないものが多い。かつて本文組版を写植屋さんにお願いしていたときは書体の選択に写研やモリサワの書体見本帳とにらめっこしていたものだけれど、今はパソコンにインストールしてある、リュウミンか、ヒラギノ明朝のどちらかをそう深く考えることなく選んでいる。それで、違和感なく、見慣れた「風景にとけこんだ」組み上がりになるので問題ない。

新潮社のPR誌『波』（2017年9月）に本文用の明朝体30書体の特徴を一覧（書体設計士・鳥海修氏による）にしたものが掲載されていた。10の指標からそれぞれを5段階評価で分類している。そのなかに普遍性（没個性）という指標がある。この普遍性というのがさきの風景へのとけこみ度合いを示す。リュウミンは5、ヒラギノが4、ともに普遍性大ということとのようだ。ちなみに著者の正木氏はリュウミンについて「ふるさとである九州のことばが、脳内でいちばん正確に再生される」書体であると、……っていわれても、私にはよくわからないのだが。さて、同窓向けの新聞明朝もそれなりに風景におさまっていたということだろう。それでいいのだ。(なお、本書の本文活字はリュウミンです)

2021年10月14日

## 貸借対照表の左側

今月発売の『文藝春秋11月号』で「財務次官、モノ申す」と題して、最近の与野党の経済政策を「バラマキ合戦」と断じ、「このままでは国家財政が破綻する」と指摘する、現職財務次官の手になる記事が波紋を広げている。コロナ禍で疲弊した経済に向けて、数十兆円規模の財政出動を求める経済対策や、プライマリーバランス(PB)の黒字化目標を当面棚上げするといった反緊縮的な流れに対して、「タイタニック号が氷山に突進しているようなもの」と警鐘を鳴らした内容だ。1100兆円超の借金大国ニッポンとか、対GDPの債務残高比率が250%超であるとか、国民一人当たりにすると1000万円の借金を背負っているなどなどは、耳タコ状態であるが、私はしかしながら「反緊縮」派である。デフレ経済真っ只中の経済対策は需要の創造しかないはずだ。財源がなければ国債を発行して躊躇なく大規模に財政支出を実行する。むかしからケインズ先生がそうおっしゃっている。なのに四半世紀にわたるデフレ下で「戦力の逐次投入」的しょぼい財政出動と、需要をひたすら冷え込ませる消費税率のアップを繰り返して完全に負のスパイラルに入ってしまった。しかもこのコロナ禍で止めを刺されてしまった。

ところでたいてい財政破綻論者は、特に財務官僚は、貸借対照表（BS）の右側（貸方）に記載されている負債部分の「巨額の借金」だけを取り上げて声高に難詰する。左側（借方）に記載されているはずの「巨額」の資産にはいっさい触れない。これは大蔵省時代からのお家芸だから今回の「モノ申す」もその路線である。1995年前後まで国のBSがなかったと聞くから、複式簿記的な視点がそもそも希薄なのか。ちなみに左側の資産（2020年）には、日本政府の金融資産として700兆円超、政府・日銀を連結した統合政府ベースのBSにすれば日銀保有の国債530兆円あまりが資産勘定になってくるので、結果ネット（正味）の債務はほぼゼロということになる。また債務残高のGDP比はしばしば話題になるが、債権残高のGDP比はとんとお目にかかれない。参考までその比率は欧米のおよそ3倍で世界一の水準である。日本の財政はそう悲観するものでもないと思う。

ともあれBSは債権債務の両面から見るべきだ。もちろん、資産がたっぷりあるからといってたやすく資金化できるものではないし、そもそも巨額の借金があることじたいほめられたものではない。けれど、いまこのデフレ下での「緊縮」は、2008年にノーベル経済学賞を受賞したP・クルーグマンの言葉を借りれば、「それは子供っぽく、しかも破壊的だ」（『さっさと不況を終わらせろ』山形浩生訳、早川書房、2015年）ということだ。

## 哀愁のコロフォン

2021年12月30日

服喪につき年賀の欠礼を知らせる書状が今年も何通か届いた。父上や母上が亡くなったというお知らせだが、ほとんどの方が享年90歳以上であることに〝今〟を感じる。そんななかにS部長の訃報（享年80歳）があった。1980年に新卒入社した会社でお世話になった上司である。差出人はおそらくご子息にあたられる方であろう。私にとって80年代前半は、会社組織というものに所属して、社会人としての一歩を踏み出した、何もかもが新鮮に捉えられた時期にあたる。事情あって私はその会社を退社してしまったのだが、その後も部長が関西出張時には何度か連絡をもらった。が、そのうちお会いすることもなく年賀状の交換だけで30年以上の時が流れてしまった。S部長はその後関連会社の社長もされたと仄聞するから、しかもずいぶん前にリタイアされているわけだから、当然「部長」という呼称はヘンなのけれど、私にとってはやはり部長だ。

その部長が「あの人はすごいよ。知らないことは知らないって正直にいうんだぜ」と、学歴学識ともに申し分ないある役員をさして言ったことを思い出す。「へー、それがそれほどに賞賛されることなのか」とあまりピンとこなかったのだけれど、なぜかそのときの部長の口吻や周辺の景色を今も鮮明に覚えている。20歳代の青年にとって、知らないことであっても知ったかぶりに虚勢を張らなくてはならず、読んでいない本だって読んだことにして強弁をふるわなければならなかった。そんな空疎な青年時代を送ってしまったという後悔ゆえに今なおその言葉が強く印象に残っているということだろうか。

――読んだ本の奥付《コロフォン》に記載されている初版の発行年を見てしばしば感慨にふけることが、最近多くなった……。

ここんところ就寝時のお供となっている、お気に入りの本に井筒俊彦『「コーラン」を読む』（岩波現代文庫、2013年）がある。ここ何年かは年に1回は読んでいる。20回シリーズの講座を活字に起こした内容だ。「コーラン」を学ぶことが目的ではない。高名な学者による、高度に知的で哲学的内容でありながら、一般聴衆が腑に落とすまで面倒がらずに繰り返し繰り返し言葉を重ねてかみ砕いてゆく、言い換えれば、教えるのが楽しくって楽しくってしょうがないという著者のフレンドリーな姿勢に身を委ねていることがとても心地いいのだ。一連の講座を著者自身が振り返って「自由気儘なお喋りをする楽しさ」を満喫したと「あとがき」にしるしている。

さてこの講座は「岩波市民セミナー」開講の記念すべき第1回として1982年1月から3月にかけて催されたらしい。岩波書店から単行本になったのが83年。私が社会人デビューし部長と出会った頃のことだ。当時、井筒の「い」も知らず、コーランの「コ」の字も知らなかった。こんな世界があるとは思いも至らなかったあの時代。40年近く経って遅ればせながら縁あって愛読書となった。このじゅうぶんすぎるほどの時間が不覚にも過ぎ去っていたことにめまいを覚えてしまいそうになる。

「不知為不知、是知也」（知らざるを知らずと為せ、是れ知るなり）。鷲田清一「折々のことば」（朝日新聞、12月18日）で紹介された、孔子『論語』からのフレーズである。「自分はこういう世界、このような問題があることをこれまでずっと知らなかったのかと、愕然とすることがある」と続けて記している。奥付の「発行年」にめまいを覚え、まさに「愕然」を繰り返している。私のジャーヒリーヤ（無明時代）はまだまだ根が深い。あのとき部長の言葉を真摯に受け止めるべきであったのだろう。合掌。

2022年2月6日

**ショートショート**

「ショートショート」（掌編小説）が注目されているらしい。「「ショートショート」小説 再び脚光」という記事があった（日経夕刊、2022年1月24日）。愛媛県松山市が主催する「坊ちゃん文学賞」では、2019年募集作品の対象を青春文学からショートショートへ変えたところ、応募が急増したと伝えている。

記事では「再び」と紹介しながら「最初」への言及がないが、おそらく「最初」のブームは1980年前後になると思う。78年に講談社文庫の特別企画としてショートショートのコンクールが実施されている。選者は当時斯界の第一人者であった星新一。応募数は5433通にのぼった。さらに数年後の81年にはショートショートの専門誌『ショートショートランド』（講談社）が季刊（のちに隔月刊）で刊行されている。創刊号は初版7万部を一瞬にして売り切った。さきのコンクールも第3回目からはこちらの誌上に移され、創刊号において「星新一ショートショート・コンテスト'81」として引き継がれる。応募数は5225通。原稿用紙数百枚を要する中・長編の作品からすれば、長くても10枚程度の作品で読み切るショートショートは敷居が低く見えるのだろうか。参加型にすると80年代も今もその人気に変わりはなさそうだ。昨今の文学雑誌の部数低迷からすれば、「ショートショート」ジャンルにかぎれば、読み手の数より書き手の数が凌駕してしまっているんじゃないかと思えるほどだ。

記事は「短さ自体に価値」としるし、たとえばYouTubeの動画が数分足らずで完結することを求める社会がこうしたブームの背景にあると解く。80年代当時は、テレビ番組のCMが15分ごとに挿入されるという時間感覚に慣らされてしまった結果、15分以内で読み切れる作品が求められたといわれたものだ。その意味では現在のほうがコンテンツの短さはより際だっている。学研プラスから刊行されて人気を博しているシリーズは、題して『5分後に意外な結末』。さらには『5秒後』なんていうシリーズも生まれている。さいごは禅にある「公案問答」のようになってしまうのか。ショートショートの歴史は、最相葉月『星新一　一〇〇一話をつくった人』（新潮社、2007年）に詳しい。

2022年3月27日

**『岸惠子自伝』**

机の上に両脚を投げ出して足首のところで左右の脚を交差させて、行儀悪く小一時間本を読んでいたら下側になっていたほうの右足首あたりから痛みが走り出し、その翌日から3日間激痛に襲われ歩行に難儀した。以前であれば、姿勢を正しい位置に戻せばものの数分もすれば痛みは消え去ったもんだ。これが年ということか、腹立たしい。

その時読んでいたのが『岸惠子自伝』（岩波書店、2021年）という本であった。そこに書かれていたエピソードのいくつもに既視感があって、どこかで読んだことがあったのだろうか……と不思議な思いのまま巻末の「終わりに」にいたって、ようやく腑に落ちた。2020年5月に日経で「私の履歴書」を連載したことが本書の出版につながったという記述に出くわしたのだ。当時のスクラップブックを取り出したらご丁寧にもすべての記事を切り抜いていた。なーんだ。と同時に、すでに読んで保存していたものを新たに買って再び読んで（もちろん本書のほうが新聞記事よりずっと内容豊富なんだけど）、足首を損傷するなんて割が合わないではないか。腹立たしい（しかもたった2年ほど前のことなのにすっかり忘れてしまっている！）。なんとも手前勝手な理屈ではあるが、老境に入るとわずかな身体の不調に恐れおののき、その不調を引き起こすこととなった〝原因〟そのものに許し難き感情がわき起こってしまう。この場合、行儀の悪い自分自身に対してではなく、『岸惠子自伝』に当たってしまわざるを得ないのだ。お恥ずかしい。

さてさて、「岸惠子」について書こうと思う。じつは今、小舎ホームページ上で「鶴見良行私論」を執筆してもらっている庄野護氏からずいぶん昔に預かっていた草稿に「岸惠子」が登場する。小田実が徳島の病院（小田の実兄が医者として勤めていた病院）に入院していた1971年のこと。当時若かりし庄野氏が転がり込んでいた、A新聞の徳島支局に所属する記者M氏のアパートで焼き肉パーティが催される。その2DKに小田実、岸惠子、映画配給会社の秦早穂子、徳島在住の若者たちが集う。そこで「女優から主婦への変わり身の早さ」を自負する岸惠子の、料理の手際の良さを目の当たりにするのだった。70年代初頭の時代臭がそこかしこに充満した内容である。岸惠子の女優としてだけではない、多様な「表現者」として一途に「現場」へと突っ走る、彼女の行動的な一面も伝わってくる。いつか当ホームページで紹介したいと思っている。このときの岸惠子の徳島行は、私は未見だけれど、秦早穂子との共著『パリ・東京井戸端会議』（読売新聞社、1973年。のちに新潮文庫、1984年）に触れられているらしい。

## 追悼・写真家廣津秋義氏

2022年4月27日

昨日、大麻豊氏より、スリランカ在住の写真家廣津秋義氏が亡くなったとの電話をもらった。1カ月ほど前に廣津氏と話されたそうだが、すでに体調はかなり悪かったようだ。私の場合ここ数年メールのやりとりも途絶えていた。2017年から18年にかけて小舎ホームページで「スリランカ点描」というタイトルで写真とエッセイの連載をご協力願ったのが最後だった。6－7年前にシンハラ人の奥様とスリランカへ移住されていた。その頃から長年フィルムで撮影されていた写真をデジタルに移行された。メールの利用も始まった。おかげで原稿や写真の受け渡しも遠くスリランカからでもネット経由で便利だった。小舎刊『スリランカ古都の群像』（2010年）の制作では、大判の大学ノート3冊分にびっしりと書き込まれた筆圧の強い手書き原稿と、写真はポジフィルムで1コマごとスリーブに入っていた。もちろん当時であっても原稿はテキストファイル、写真はデジタルが通り相場なっていたが、オールドスタイルであった。あるとき近くのインド料理店へお昼ごはんをお誘いしたとき、そこのカレーの味付けに砂糖が使われていること（私には感じ取れなかった）に嫌悪され、ひとくち口にされただけであとは苦々しげな面持ちでナンだけで済まされた。ふつうはホストの手前、無理にでも食べるもんだろなんて思ったものだが、妥協は一切なかった。廣津さんらしい、懐かしい思い出だ。ご冥福をお祈りします。

## 『秘闘 私の「コロナ戦争」全記録』

2022年5月16日

ゼロコロナ政策のもと、コロナウィルスの完全封じ込めを貫徹すべく有無を言わさぬ強烈な都市封鎖が人口2400万人の上海市で1カ月半以上続いている。ニュース映像をみると、厳しい外出制限が課せられ、買い物にも行けず冷蔵庫はからっぽで日々の食料もままならない。外に出られるのはPCR検査の時ぐらい。近隣に感染者が出ると、その周辺の住民は数百キロ離れた隔離施設へ大型バスで強制的に集団移送される。これでは民衆の不満がたまりにたまっていつ暴動が起こってもおかしくない。過日読んだ、岡田晴恵『秘闘 私の「コロナ戦争」全記録』（新潮社、2022年）では、感染症専門の立場から、PCR検査の拡充と、感染者の早期発見と隔離・保護をひたすら徹底していくことが「サイエンス」に基づく、絶対的解であると述べる。日本政府が採ってきた一連の感染症対策はまったくもって「サイエンスが破綻」していると。その観点からすれば、現下上海で進行中の取り組みが、著者岡田氏のめざす「サイエンス」主義にとっての究極の解ということになってしまうのかもしれない。うーん。しかしその「サイエンス」はウイルス学、感染症学という学問分野に限定された狭義のものなのだろう。中国の奮闘ぶりは、圧倒的な自然の猛威をまえに、まるで風車に突撃していくドンキホーテよろしくどこか滑稽さが漂う。

さて本書は、首相をはじめ政権中枢の大臣の面々、厚労省の役人たち、専門家会議（分科会）の学者たち、医師会、地方自治体、マスコミなどの様々な思惑に翻弄され、忖度、保身、不作為に右往左往する舞台裏を生々しく批判的に伝える。誰があのときどういった発言し、どうふるまったかを、私は興味本位に、覗き見的に楽しく読めた。本書について「自画自賛する「コロナの女王」」と題された書評（『NEWSWEEK』石戸諭、2022年3月15日）を目にしたが、私の印象はちょっと違う。岡田のよき理解者でもあり同志ともいえる、当時厚労大臣の田村憲久氏へのオマージュ本ではないかしら。そんな印象を受けた。

つい最近、コロナがらみでもう一冊、コロナ担当大臣であった西村康稔氏による『コロナとの死闘』（幻冬舎）という本が出た。こちらのほうは真正「自画自賛」本に堕してしまっているようだ。アマゾンでは300以上のレビューがつきながら圧倒的に「星一つ」（珍しい現象だ。批判のために多数が読んだとしかいいようがない）という惨憺たる酷評の集中砲火を浴びている。むべなるかな。

2022年6月10日

『ドライブ・マイ・カー』

第94回アカデミー賞国際長編映画賞受賞の『ドライブ・マイ・カー』（濱口竜介監督、2021年）を遅ればせながら観た。およそ3時間の長尺もの。「つまらない」「たいくつ」という評価が少なくない。ほんとにそうであったら3時間は拷問だ。ともあれ、観る前にはしっかりと仕込みを済ませてから準備万端にして臨むべく心がけた。一つは原作となっている村上春樹『女のいない男たち』（文春文庫、2016年）に目を通しておく。本書は短編集なので、映画に関係しているといわれる「ドライブ・マイ・カー」「シェエラザード」「木野」の3本を丁寧に読み込んだ。

そしてもう一つ、映画の中に組み込まれた舞台劇「ワーニャ伯父さん」。ロシアを代表する劇作家チェーホフの戯曲だ。有名な「桜の園」といったようなタイトルはなんとなく耳にしたことはあるが、読んだこともないし、そもそも戯曲を好んで読む習慣がない。こんな機会でもないかぎり一生読むことはなかっただろう。『かもめ・ワーニャ伯父さん』（神西清訳、新潮文庫、1967年）をこれまた丁寧に読む。若い頃だったらなんて退屈なストーリーなんだと思ったにちがいない。巻末の「解説」で池田健太郎（ロシア文学者）という方が「ゴーリキイはこの戯曲に感動して女のように泣いたと書いている」と紹介している。「女のように」という記述が時代がかっていてポリコレ的に大丈夫かいなとは思うのだが、ともあれゴーリキイ自身の表現でもあり、また本書発行年が1967年という時代であることに留意しておきたい。私は「女のように」は泣かなかったが、しんみりと琴線に触れるところ数多であった。思っていた以上によかった。

映画『ドライブ・マイ・カー』は、原作・村上春樹となっており、たしかにいくつかのエピソードはそこからかなり忠実に再現されているのだけれど、映画の骨格は「ワーニャ伯父さん」そのものにあると思う。悔悟に満ちた自身の過去とどう折り合いをつけてこれからの未来を生きていくか。「絶望から忍耐へ」、そしてその後の「確信する未来」へと切り拓いていく――これがたぶんテーマだと思う。だから不可逆な時間の非情さをしばしば意識させられるほどにある程度年齢を重ねていたほうが、映画の主人公・家福（＝ワーニャ伯父さん）に感情移入しやすい。最後にはゴーリキイほどではないがすこしうるうるしてしまった。観る前には「ワーニャ伯父さん」を！

2022年7月6日

『ハイファに戻って 太陽の男たち』

アラビア語のレッスンを受けるようになってまる4年が経過した。最低限の文法事項を学んで、先生からは「免許皆伝！」なんて威勢よく言ってもらえたのだが、実際はネット上でたまに目にするアラビア語のヘッドライン一つとってもなんのこっちゃ?という有様である。決定的に語彙力がない。しかもアラビア文字がまだまだ目になじんでおらず簡単な既知の単語でも初見のように感じてしまう。とほほ。

とりあえず次のステージへということで、これからのレッスンは、パレスチナの著名な作家ガッサーン・カナファーニー（1936―72）の作品を読んでいくことになった。幸い日本語に翻訳されているし、10年ほど前に読んでいたので手元にある。『ハイファに戻って 太陽の男たち』（河出書房新社、1978年）だ。イラクのバスラからクウェートへ給水車のタンクに隠れて密入国を図った3人のパレスチナ難民の悲劇を描いた「太陽の男たち」は今も強烈な印象が残っている。つい最近も作品と同じような話が現実のニュースになっていて驚いた。中南米からアメリカへトラックに隠れて密入国を図った移民者たち53人が熱中症や脱水症で死亡するという悲惨な事件であった。

さてレッスンで取り上げるのは、本書にも収められている「悲しいオレンジの実る土地」という小品（日本語版で8頁）。予習に取りかかったのだが1ページ分を訳出するのに数時間かかってしまうほどの難行に前途の多難を思う。しかも日本語文を眺めてもどういう理路でこの訳文になるのか、文法的な構造がすっきりとつかめないことがある。とほほのとほほである。語学の天才、希代のゲルマニストと評される関口存男氏（1894-1958）の著作集につぎのような言葉があるらしい。「辞典と首っ引きでポツポツ読む外国語には、その遅々たるところに、普通人の気のつかない値打ちがあります。それは〝考える〟暇が生ずるということです。否でも応でも吾人を〝考える〟人間にしてくれるという点です」。ふだんぼんやりと日々を送っている私にはちょうどいいクスリになるかもしれない。「考える人」をめざしてひたすら今日も辞書を引くのであります。

## 小豆島と『海も暮れきる』

2022年8月14日

小豆島へ行った。始発のフェリーで渡り、最終便で帰ってきた。瀬戸内海で淡路島に次いで2番目に大きな島とはこのたび初めて知ったぐらいで特別に関心のある島ではなかった。家人の興味に唆されての行楽というわけであります。

日本アカデミー賞を受賞した映画『八日目の蝉』（成島出監督、2011年）のロケ地であったことを事前に知らされて、あわててアマゾンでチェックした。素敵な映画で、これは観ておいてよかった。虫送り行事の千枚田の光景、寒霞渓《かんかけい》の山頂からの眺望、そうめんづくり……。印象的なシーンがいくつも記憶に残った。同じく小豆島を舞台にした名作『二十四の瞳』（木下惠介監督、1954年）。わが出生前の製作でストーリはおぼろげながらも想像できるのだが、観たことがあったのかなかったのかそのへんの記憶もあやふやで、とりあえずこちらも仕込んでおいてから出かけた。

もう一つ、今回確認したかったところに、自由律俳句の尾崎放哉が暮らしていた庵がある。コロナ禍に見舞われ始めた2020年春、放哉の「咳をしても一人」の一句が隔離を強いられた感染者の療養生活そのものじゃないかと話題になった。そんなニュースを目にして、放哉の最晩年を描いた小説、吉村昭『海も暮れきる』（新装版、講談社文庫、2011年）を読んだ。その舞台が小豆島であった（死を迎えるまでの8カ月間を過ごした）。

プライドばかり高く、自身にすこしでも批判めいた言辞を弄する人間には容赦なく罵詈雑言を投げかける、酒乱癖で皮肉屋でジコチュー、それでいて寂しがり屋の放哉。おおよそいやなタイプなんだけど、でも最期は可哀想だった。享年42歳。放哉の庵（南郷庵《みなんご》。小説では「みなんごう」とルビがふられている）は記念館となって現存する。想像していたものよりしっかりした建物であった。近くの名刹西光寺の別院にあたり墓守が役目であった。小説のタイトルは「障子あけて置く海も暮れ切る」の一句から。慌ただしく島内を駆けめぐった一日でした。

2022年8月24日

**『全国古本屋地図』の今昔**

過日、百貨店の特設会場で開催されていた古本市で懐かしい本に出合った。『全国古本屋地図』（日本古書通信社、1977年）。1980年代前半、出張の多い仕事であったため、この「地図」をカバンに忍ばせていそいそと出かけたものだった。東日本の県庁所在地にある古本屋さんであればだいたいは訪れたと思う。出張先に合わせて該当するページをバリバリと切り取って出かけていたものだからいつのまにか散逸して、本そのものは雲散霧消となった。今ではスマホで検索すればたちどころに最新の店舗情報が表示され、親切にも道案内までしてくれる。隔世の感を覚える。さてこの古本地図の値付けは800円。もともとの刊行時の定価も８００円。んっ？　40年以上前の店舗情報ではガイドブックとして用に立つはずもない。それが８００円そのままか。棚に戻して立ち去ろうとしたのだけれど、なんだかとても愛しいものに出会ってしまった思いが断ち切れずセンチメンタルに流されて買ってしまった。月数回は回遊している神戸の三ノ宮・元町界隈をこの『全国古本屋地図』でながめてみる。掲載されている店舗数は20店弱。数は今も同じようだが、ほとんどが入れ替わってしまっている。「店舗の構えからして県下最大の古書店の格」として紹介されている「後藤書店」も今はない。閉店はニュースにもなった。１９３８年の阪神大水害、45年の神戸空襲、95年の阪神大震災を乗り越えて98年の歴史に幕を閉じることになったと伝えている。経営者の高齢化で体力の限界が近づいたこと、「インターネットの時代になり古書店の存在価値は薄くなったとも感じた」。閉店の理由である（朝日新聞夕刊、２００７年12月14日）。三ノ宮・元町界隈に限ると、その後藤書店から70－80メートルほど離れたところにある「あかつき書房」、元町商店街6丁目の「文紀書房」がともに今も健在であるが、それ以外はなくなってしまったか、移転してしまったか。代わって最近では、雑貨やミニコミ、ＤＶＤなどもあわせて扱う、一見カフェ風のおしゃれなお店であったり、コミックやゲームソフトをおもに取り扱う「古書店」が散見される。店の奥で苦虫を噛み潰したおっちゃんが鎮座している、いかにも古本屋風情の店はめっきり減った。といって、そもそも神戸は、古本屋稼業が殷賑を極めるといったような土地柄ではなかった。

西東三鬼『神戸・続神戸・俳愚伝』（出帆社、1976年）という、戦時中トアロード（浜手の旧居留地と山手を結ぶ南北1キロほどの坂道）沿いにあった人種雑居の怪しげなホテル（トーア・アパートメント・ホテル）を舞台にしたエッセイ集に、次のような下りがあって笑ってしまった。「神戸という街は「頭蓋骨の要らない街」といってもよい位、物を考えないでいられる街である。だから古本屋が実に少ない。（略）たった一軒の古本屋に日参して俳句古典の書をあさった」。「たった一軒」というのが先の後藤書店のことだろう。ジュンク堂発祥の地でありながら、書籍の年間購入額ランキング（都市別）によると、神戸市は全国15位（8875円）で格別に読書人が多いわけでもない（全国平均は8615円。総務省統計局「家計調査」2020年）。平均並みである。この調査での第1位は水戸市の25045円。全国平均の3倍近く。さぞかし古書店も多いだろうと『全国古本屋地図』を見ると、「茨城県はどういうわけなのか、古本屋が発展しない。水戸に二軒、下館に一軒あるのみ、それも水戸のは一軒の本店と支店なのである」。あれれ。ちなみに最下位は、かなり意外な感を持つが秋田市の4153円。掲載されている古本屋は7軒だった（うち地方出版の雄である無明舎出版もそのうちの一軒に数えられている。当時は古書も取り扱っていた）。

## ウルドゥー語入門

2022年11月18日

久しぶりに万博公園内の民族学博物館へ行った。「いざ、ウルドゥー語入門（せめて文字だけは編）」という講座があったので参加した。ウルドゥー語（パキスタンの国語）なんて興味ある人いるのかな、と思っていたのだが、意外にも定員40人に対してほぼ満席状態であった。講師が、ひょうきんな書名（内容も！）で話題になった、『現地嫌いなフィールド言語学者、かく語りき』（創元社、2019年）の著者、吉岡乾准教授であったことが大きい、たぶん。講義時間は45分。目標は自分の名前をウルドゥー語で書けるようになること、そして街中の看板を読めるようになることで始まったが、はっきりいってそりゃあ無謀というもの。案の定、「ああ時間がない……」という、先生の悲痛な呟きが繰り返されるだけの、失礼ながら何が何だかわからないうちに終わってしまった。

ウルドゥー語の文字は、アラビア文字28文字、ペルシャ文字4文字を追加して、さらにヒンディー語系の音を表記するための3文字を加えて、計35文字を使う。これらの文字が単語のどの位置に配されるかで変幻自在にその形（独立形、語頭形、語中形、語尾形）を変えてゆき、かつ文字によって前後の文字とつながったりつながらなかったりする（いわゆるブロック体はない。書法はすべて筆記体になる）ので、「45分」なんて端からムリなのだった。

さて、ウルドゥー語は、文字はアラビア語系だけれど、日常語彙はヒンディー語とほとんど同じらしい。文法もＳＯＶで同じ。ヒンディー語はデーヴァナーガリー文字を使うので、見た印象は全く違った言語にみえるのだが、両言語間での会話はそのまま通じるそう。電話はできるが文通はできないということだ。

ところでウルドゥー語話者たちは書体にとってもうるさい。もっとも好まれる書体がナスターリーク体というもの。これでなきゃウルドゥー語じゃないといわんばかりなのだ。文章はアラビア語と同様に右から左へ書くのだが、ナスターリーク体の場合は、水平な文字列を拒んで（ノートであれば罫線を無視して）、右上から文字を少しずつずらせて躍らせながら左下のほうへ斜めに流して書いていく。流麗で雅な雰囲気をかもしていて、まるで良寛の草書体をみるようだ。ただ初学者にとっては文字というより絵画的すぎて、とても読みにくい。須永恵津子「こだわりのウルドゥー語フォントの世界」（東大アジア研究図書館ニューズレター第6号、２０２２年）によると、１９９０年代半ばまでパキスタンの日刊紙は、プロの書道家がナスターリーク体で全ページを手書きしていたという。大手新聞社には専属の書道家が50人ほど在籍していたらしい。80年代にはコンピュータが導入され、他のフォント（ナスフ体が一般的。カクカクした楷書の雰囲気）であれば活字での出力が可能になっていたにもかかわらず、「美しくない」という理由で採用されてこなかったのだそうだ。新聞に限らず書籍なども書道家の手書きによる版下で印刷していた。94年、InPageというソフトが誕生したのがきっかけで、ナスターリーク・フォントの使用が可能となり、ようやくデジタル化の波が本格化したという。

2023年1月2日

**須賀敦子の文章スタイル**

アラビア語のレッスンで昨夏より読み始めたガッサーン・カナファーニーの「オレンジの大地」も昨年末でようやく最終の数行を残すのみとなった。日本語版にしてわずか8頁ほどの短編を半年かけて読んできたことになる。発見だったのは、あちらの文章の特徴なのか、一つの文が何行にもわたってとてつもなく長いことだ。日本語だったらそこに3つ4つの句点を入れるべしと指導が入りそうなほど。文章のあとをカンマで区切って、そのあとに分詞構文で状況説明文をいくつもいくつも連ねていく。訳しているうちにもともとの主節が遠くにかすんでしまって、言いたかったことはなんだったの?ってな具合になってしまう。贅肉を削ぎ落とし簡潔を旨とする日本語とは真逆の、デコラティブで過剰で粘着性の文章が名文と賞されるのだろうか。先生によると、フランス語もそのような傾向があって、「ル・モンド紙」の記事なども一文がくねくねとしてとても長いそうだ。そのことがインテリの文章として評価される由。ユーラシア大陸の西のほうではそういった文章が好まれるのかな。湯川豊『須賀敦子を読む』(新潮文庫、2011年)に、須賀の「息が長く、ゆったりしている」文章についてこう評する下りがあった。「過去という思念の中に分け入っていくのに、読点を多用して記憶をまさぐるようにどこまでも折れ曲がっていくこうした文章がふさわしい、（略）プルーストの大長編で私たちはそのことを知っている」と。須賀は31歳（１９６０年）から41歳（１９７０年）までのおよそ10年間をイタリアで生活し、後年60歳を過ぎて、30年以上前のイタリア時代のことを回想する作品を次々と発表して作家となった。「読点を多用して」「どこまでも折れ曲がっていく」文章スタイルが遠い昔の記憶をしるす内容にかなっていると評価するのだけれど、おそらくは、イタリア語の文章スタイルからの影響ではないかしら。プルーストだってフランス語のインテリ作法に則ったゆえのことではないのかなと思ったりもするのだが。

２０２３年1月25日

## パワーマックG４の復活

メインにしているパソコンがついにうんともすんとも言わなくなってしまった。ここ数年起動にさいして、ふつうには立ち上がってはくれない状態にあった。いったんコンセントを抜いて、数十秒間電源を完全にシャットアウトしておいてからコンセントを挿しなおし、さらにそのまま数時間放置させたのち、おもむろに電源ボタンを押すと立ち上がってくれた。すでにかなりいかれていたのである。それがまったくの無反応になってしまったのだ。ついに来てしまった！　幸い、同じＯＳ環境の機械をほかに2台用意しているので急場はしのげる。だけどメイン機に比べると、サクサクした動きに欠けるところがあって、作業効率がぐんと落ちてしまう。ストレスフルである。悩みに悩んだすえ、ＰＣ店の修理窓口に持ち込んだ。２００2年発売のPowerMac G4（ＭＤＤ）だから20年以上使ってきたことになる。当然使われている部品やユニットの製造はとっくの昔に終了しており、中古機から部品どりしたものを組み込むしかない。Ｗｉｎ関係の修理費用は明細ごとに掲示されていて明朗会計だが、アップル社製にかんしては応相談というやつ。部品にしても時価となっていて、言い値を受け入れざるを得ない。結局、電源ユニットを交換し、2枚装備していたハードディスク（ＨＤＤ）も交換となった。ＨＤＤの1枚はパーティションを切って2区画にＯＳをそれぞれインストールしていたのであるがそれもそのまま復元。ほか筐体内の積もりに積もった20年間の埃をきれいに落としてもらい、データもアプリも完全移行してもらった。新品の小さなコンピュータが買えるくらいの費用になってしまったが、よみがえってくれた機械を前にして喜びのほうが大きい。この環境でないと、ＤＴＰ関連のソフトや周辺機器が動いてくれないのだから仕方ないのだ。お店の女性が「これからも長く使えますよ」と送り出してくれた。さらにもう20年いけるであろうか。いやいやこっちの寿命を心配しなきゃならないな。

## パンデミックの刻印

2023年2月17日

たまたま手元にあった岩波書店のPR誌『図書』を眺めていたら「大流行による惨劇から一〇〇年」と題した、田代眞人（ウイルス学）という方による「スペイン・インフルエンザ」の記事が掲載されていた。1918年から19、20年にかけて猛威を振るった、このインフルエンザの世界的流行（スペイン風邪）では、当時の世界人口の3分の1にあたる、約20億人が感染し、死者は2千万人とも1億人ともいわれ、正確なところはわかっていない。というのも第1次世界大戦の最中で、参戦国の感染事情は秘匿され、そのため当時中立国であったスペインからの感染状況が悪目立ちしてしまい、「スペイン」というありがたくない冠がついてしまったという話をどこかで読んだ。

さて、この記事によると、連合国・同盟国ともに戦力の消耗は激しく（戦死者1000万人に対して参戦国のインフルエンザによる死者数はそれ以上）、「パリに迫る西部戦線では、ロシア戦線から戦力を転用したドイツ軍の最終攻撃は中止」され、「それがドイツ降伏の原因ともいわれる」。パリ講和会議では、ドイツへの賠償金請求をめぐって、強硬派のフランスと、穏健派の米国ウイルソン大統領が対立。会議中にウイルソンはインフルエンザに感染してしまう。一命を取り留めたウイルソンは、「精神神経症状を呈して思考・意欲が低下し、病床でフランスによる強硬な講和条約案に無気力の状態でサインしたと伝えられている」。

結果、巨額な賠償金を課されたドイツの経済は破綻し、世界はパンデミックによる労働力不足で経済復興もままならず、ほどなく大恐慌に突入してゆく。疲弊した民衆はファシズムの台頭を許し、その流れは第2次大戦へと向かい、さらにその延長線上には、アウシュビッツや、沖縄・広島・長崎などの惨事が歴史に刻まれていくこととなった、と述べる。

歴史への負の刻印である。かつてヨーロッパを席巻した黒死病（ペスト）はその中世を終わらせ、近代の幕開けへと繋げたといわれる。これなどは肯定的な評価でもって捉えられるパンデミックの刻印といえるかもしれない。はたしてこのたびのコロナ・パンデミックからはどんな歴史が紡ぎだされ、そして将来どのような刻印がなされるのか……。残念ながら記事には、そうした論考はなく、コロナの「コ」の字も言及がなかった。あれれっと表紙を見直すと、それもそのはず、これは、な、なんと2019年2月号の『図書』であった。コロナ禍勃発のちょうど1年前の刊行である。記事の後段は、「スペイン・インフルエンザを超える最悪のパンデミックの発生は時間の問題」と警鐘を鳴らす、インフルエンザ学者R・ウェブスターの自伝的著書『インフルエンザ・ハンター　ウイルスの秘密解明への100年』（新刊、岩波書店）の一読をすすめるものであった。「ウイルスの驚異的な存在様式、将来への教訓と問題提起」が平易に解説されている由。厚労省の関係者や、感染症対策専門家会議のみなさんは、これ、読んでくれていたのかなあ。

## 山田錦と『管絃祭』

2023年3月14日

酒造好適米として有名な高級ブランド「山田錦」。その発祥の地、兵庫県三木市吉川町で「山田錦まつり」が先週末開催されていたので出かけた。

日本酒メーカー11社がそれぞれブースを出して山田錦で造った純米酒、吟醸酒を試飲させてくれる。50㎖ほどの小さなカップ1杯が100円~500円。近年の日本酒は高級化路線でどちらかといえばワイン風に嗜むのが流行り。ボトルも一升瓶などではなく、四合瓶(720㎖)が主流だ。テーブルの上に置いても邪魔にならないし。聞くところによると一升瓶サイズの流通量が激減し、早晩この瓶のリサイクルシステムが成り立たなくなるかもしれないといわれている。

私は昔人間なので、醸造用アルコール添加の、いわゆる「アル添」の、本醸造酒あたりの品質のものを一升瓶で買って燗酒で飲むほうが好みなのだけれど、こういう一昔前の飲用スタイルは希少になった。精米歩合の数字を競うような時代で、磨きに磨いて生まれるその吟醸香とフルーティな風味をもつ、高級な吟醸酒が人気だ。きりりと冷やしていただく。もちろんこちらも大好きです。

一つ違いの従兄が小さな蔵元をやっているのだけれど、彼が家業を継ぐために東京・北区にあった国立醸造試験所(現在は東広島市に移っている)で研修を受けていたときのこと。

1980年頃だ。深夜、彼の手引きで薄暗い実験室に忍び込ませてもらった（今では考えられないほどのセキュリティですね）。そこには試験中の吟醸酒が巨大なガラス瓶に詰められて鎮座していた。その瓶から実験用の小型ビーカーに恐る恐る移し替えて失敬したその一杯は、とても日本酒とは思えない、衝撃的な味わいだった。これが日本酒か!?「吟醸」なんて言葉も知らなかった。さっぱりした白ワインのような飲みやすさで、わが背徳的行為とも相まって、その甘美さが際だって感じられたものだ。

時代はほどなくバブル経済に突入し、奢侈な世相とともに1990年前後には市場でも一般的になった。あれから40年超が経過して、昨今は世に知られていない小さな蔵元の、一期一会の希少性の高い逸品がもてはやされる。その意味ではこのたびの「山田錦まつり」参加各社は、灘五郷の大手蔵元の揃い踏みで、間違いのない酒造りでいいのだけれど、ちょっと面白みに欠ける印象であった。北陸から参加されていた蔵元が1社あったので珍しさもありそちらを購入。希少性といえば、会場の片隅で催されていた小規模な古本市（町内のメンバーで持ち寄りましたといった風情）で、ここんところ何カ月も探していた、竹西寛子『管絃祭』を発見。函入クロス装丁の新潮社版。1978年発行。100円だった。お酒ではなかったけれどいい掘り出し物に出合えた。

## 「納屋を焼く」

2023年3月30日

アラビア語のレッスンで村上春樹作品を読んでいくことになった。1982年初出の短編で「納屋を焼く」（『蛍・納屋を焼く・その他の短編』所収、新潮文庫、1987年）という作品。「納屋を焼く」ことが趣味の男と、その彼女（「僕」の女友達でもある）と「僕」の物語。男が「僕」の近在の納屋を近日中にガソリンで焼くと言う。「僕」は自宅の周辺に点在する納屋の所在を確認（4キロ四方に16カ所あった）し、今か今かとジョギングがてら見回りを欠かさない。しかしいつになっても納屋が焼かれたような形跡は見当たらない。そのうち男と彼女は「僕」の前から忽然と姿を消してしまい、音信不通となる。ある日、街で男を偶然見かけて声をかける。「納屋は焼きました」と彼は答えるが、細大漏らさずにチェックしてきた「僕」はそんなはずはないと思う。しかし彼は「あまりに近すぎて見落としたんですよ」と言う。彼女の消息はわからないままである。（おしまい）

——うーむ、わからない。村上作品でおなじみのパラレルワールドの設定かなと単純に思ったのだけれど、「納屋」は「女」のことで「焼く」は「殺す」ことを意味しているのだなんていう解説を目にして、へぇーそうなんだと思ったり。もう一つ奇妙なことに、米国の作家、W・フォークナーに「Barn Burning」（1938年）という作品があって、日本語にすると「納屋焼き」。この村上作品には「僕はコーヒー・ルームでフォークナーの短篇集を読んでいた」という下りがあってそこから読み解く解説も目にした。しかし村上本人がフォークナーの「Barn Burning」の存在すら知らなかったと述べてその関連性を完全否定しており、後年まとめられた作品集には「僕はコーヒー・ルームで週刊誌を三冊読んだ」に修正されているらしい。単純に「納屋」を英語で「バーン」、「焼く」も「バーン」だから言葉遊びから始まったのかなとも思えるし、「刺激的で面白いもの」をbarnburnerと表現することもあるらしくそこからの着想だったか……。いずれにせよ謎の多い作品であるのだけれど、これがアラビア語に翻訳されていたということ自体、これまた不思議な感じ。

2023年4月28日

**『益田っこ ありがたき不思議なり』**

元本屋人、今は牧師の元正《はじめ》章氏による『益田っこ ありがたき不思議なり』という本を刊行した。元氏にはじめてお会いしたのは、本屋人時代の、南天荘書店（神戸市）に勤務されていたころ。私どもでつくった雑誌の取り扱いをお願いすべくお店に伺ったさい親切に対応していただいた。1986年のこと。当時は、本屋人という立場だけでなく、市民団体「六甲を考える会」の代表として八面六臂の活躍ぶりだった。それ以前には書店誌『野のしおり』の編集人もされていた。『野のしおり』はあの『本の雑誌』（1976年〜）のほぼ1年遅れの創刊で、活字世界にまつわるコンテンツから比較してもその充実度に遜色ない出来栄えの雑誌であった。残念ながら私が知ったのは終刊（1985年）の1年後のこと。いただいた最終号（25号）を今も大切に保管している。元さんとお会いするのはたいてい飲み会の席であったが、本の世界に関係する多くの人を紹介していただいた。大恩人なのだ。聖職者になられてからもお知り合いの牧師の方による本の出版に何冊か関わらせてもらった。2017年に島根県益田市の益田教会に赴任。相変わらずのバイタリティーでさまざまな催しを立ち上げて、変わり種牧師として奮闘中である。

2023年5月26日

**「小室直樹文献目録」**

ひと月ほど前から小舎ホームページの「リンク」コーナーに「小室直樹文献目録」というサイトを掲載している。小室直樹（1932-2010）による著作物（書籍、新聞、雑誌、冊子、映像、音声など）を網羅した「文献目録」と、「小室直樹」に言及している第三者の手になる著作物をリスト化した「関連文献目録」など、これまでこの世に存在している「小室直樹」にかかわるテキスト・映像・音声のすべてを根こそぎ集積すべく運営されている情報サイトである。運営者は『評伝小室直樹』（ミネルヴァ書房、2018年）の著者村上篤直氏。かつてひょんなことから村上氏より連絡をいただき、私どもの手元にあった「小室資料」（整理番号1979009）を寄贈した経緯がある。「小室直樹」の、たんなる一愛読者でしかない私がこうした情報サイトへ微力ながらも貢献できたことはとてもうれしいことだった。以来、ウン十年前に出版された、関連しそうな本や雑誌などを本棚から取り出して、そこに「小室直樹」の名を発見すると、リストアップされてるのかな?と当サイトで検索したものだった。果たしてとっくの昔にちゃあんと捕捉されている。残念。ところが先月末ついに発見したのだ!『第49回日本社会学会大会報告要旨』（1976年）という一冊。くるみ製本の、背文字もない冊子なので棚ざしでは内容がわからなかったのだ。この第49回の学会は、私が入学した大学で開催されていた。しかも入学した同じ年の秋の実施である。もちろん参加した記憶もなく、なぜこの冊子を持っていたのかも、半世紀近くたった今となっては全く記憶がない。ひょっとしたら事務課の窓口にでも山積みにされていたものをもらってきたのだろうか。ともあれ、その9頁から10頁にかけて小室直樹による発表要旨が小室氏の直筆で記されていたのだった。早速村上氏にメールでその旨をお知らせし寄贈した。「これはすごいです!! まさか、このような文献が未発見のまま残されていたとは」と大いに驚いたいただけた。とってもうれしい! 整理番号1976007が付与された。ところで拙著『活字の厨房』（2018年）も「関連目録」の一つとして掲載されている。整理番号20181221だ。こちらは村上氏にお送りして無理強いしたような感じ……ではあるが、ともあれこれまたうれしい。

2023年7月3日

## 『火蛾』――スーフィズムの〝極北〟

「23年後の復刊」という見出しがつけられた、古泉迦十『火蛾《ひが》』（講談社、2000年）の文庫化の記事（朝日新聞、2023年6月8日）が目にとまった。イスラム神秘主義をモチーフに修行者たちのあいだで繰り広げられる連続殺人を描いたミステリー小説。スンニ派ともシーア派とも一線を画した、神との合一を究極の境地としてめざす、正統派イスラムからは異端視される神秘主義（スーフィズム）。そのスーフィズムの〝極北〟ともいえるウワイス派がその舞台設定だ。言葉そのものをも〝偶像〟として否定し、その教えは霊の交信をもって継承されるともいわれる異端中の異端。イスラムの、しかもスーフィズムという、当時としては多くの人にとってほとんど馴染みのない世界を語る、かなり異色の作品だ。

講談社が主催するミステリ部門のメフィスト賞第17回受賞作品（2000年）であるが、さすがに他の受賞作品と比べて部数の伸びが鈍かったようで、文庫化が見送られたという経緯があったようだ。その作品の特異な内容もさることながら、著者古泉迦十が当該作品以外の作品を発表することもなく、斯界からは消えてしまったように見受けられ、しかも著者プロフィールは「1975年生まれ」とあるだけ。私はその匿名性に強烈な印象を持ち続けていた。記事によると第2作目「崑崙奴《こんろんど》」を執筆中とある。少しずつ著者のことも明らかになってくるのかもしれない。

## 徳島の「花んらん」

2023年7月9日

徳島在住のS氏の案内で「花《か》んらん」（徳島市）というお好み焼き屋さんへ行った。不思議なお店で、メインメニューは当然「お好み焼き」であるのだが、女主人の夫であるスリランカ出身のラリスさんが提供するスリランカ料理「アーユルヴェーダプレート」がもう一つの人気メニューになっている。

『とくしま世界ゴハン』（メディコム、2022年）というガイドブックには、「スパイスの特徴や役割をサイエンスの視点」から考えて、免疫力を高めてくれる健康にいい料理を心がけているとのラリスさんのひと言が紹介されている。

この「サイエンスの視点」にはもう少し説明が必要だろう。というのは、ラリスさん、正真正銘のドクターなのであった。キャンディにある国立ペラデニア大学を卒業後、恩師のすすめで徳島県の鳴門教育大学大学院に進み、化学の修士号を修め、その後徳島大学大学院に留学し病理学の博士号を取得している。そして渡米。アメリカではジストロフィーやHIVなどの難病研究に10年間従事してきた経歴の持ち主。

奥さんいわく、「これまでは話し相手といえば顕微鏡の向こうにある細胞しかなかったのよ」。今では客商売にも慣れて、「キャベツを切るスピードは誰にも負けないよ」とラリスさんがカウンターの向こうで笑っている。月に一度、「スリランカナイト」と題してビュッフェ形式でスリランカ料理を堪能できる一夜がある。いつかはこちらも訪れてみたい。

なお、店名の「かんらん」とは「キャベツ」の意。中国語で「葉牡丹」を意味する「甘藍」という漢字が当てられるらしい。

2023年7月17日

## 逸脱する翻訳

村上春樹「納屋を焼く」を教材にアラビア語のレッスンを受けていることは以前しるした。牛歩のごとく遅々として進んでいないのだが、このアラビア語版の翻訳の自由奔放さに驚いている。原文に登場する「彼女」の描き方がじつに〝悪意〟に満ちているのだ。

原作では、どちらかといえば中性的で、さっぱりした性格の、現代的な女性が、アラビア語版ではふしだらで厚かましくて不道徳な女性として描かれる。

「我々は食事をしてからバーに行ったり、ジャズ・クラブに行ったり、夜の散歩をしたりした」という日本語原文が、なぜか、「(酒場では)私のほうが食事や飲み物の代金を支払っていた。いやむしろ彼女はいつもお金がなかったし、いよいよ食事代に困ると彼女のほうから私に連絡してきた。その時の彼女のがつがつと食べる量ときたら信じられないほどだった」(アラビア語)ってな具合になる。「ジャズ・クラブ」や「散歩」はなくなっている。

あきらかに翻訳者の偏見が、原文には見あたらない新たな文章を作りだしている。これはほんの一例で、いたるところで彼女のキャラが歪んで描かれる。逐語訳である必要はないけれど、それでもこれはやり過ぎだ。とはいいながら、この突飛な翻訳にレッスン中は大いに笑わせてもらっているんだけど。

さて、最近テレビのニュース番組などで流される、インバウンドでやって来た外国人観光客へのインタビューを眺めていて、彼らが発するコメントが日本語の吹き替え音声になっていたりすると、本当にそういう内容をそのようなテンションでしゃべっているのかなと疑問に思うことがある。吹き替えではなく字幕スーパにしてももともとの音声も流すべきだと思うのだ。まあ観光客の感想あたりでは致命的な問題なんて起きそうにはなさそうだけれど、とりあえず報道番組としてのちのち検証ができる状態にはしておくべきだろう。

以前、NHKのウクライナ避難者（高齢の女性）へのインタビュー（2022年4月10日）で「今は大変だけど、平和になるように祈っている」という字幕であったものが、実際の発言は「私たちが勝つと願っています。ウクライナに栄光あれ」だった。だいぶニュアンスが違っている。ロシア語・ウクライナ語だからばれないと思っていたのかな。もともとの音声が流れていたから指摘する人がいたわけだけど、こういうことってけっこうありそうな気がする。

## あとがき

本は寝転がって読む。見開き状態で手のひらに載せ、親指と小指の甲側を使って左右のページをそれぞれで押さえつけ、真ん中3本の指で本を背後から支える。右手が疲れれば左手で、左手が疲れれば右手で、このスタイルで半世紀ちかく読んできた。

そのせいか、左右どちらの手も母指CM関節症というものにやられてしまった。母指球といわれる部分が腫れ上がり親指の付け根の関節に激痛が走る。湿布を貼ったり、サポーターで親指を固定したりして凌いでいる。読む本も、文庫、新書などの軽量級の小型本に限られ、四六判・菊判のような重量が増す単行本は敬遠気味だ。大きめの本は机に座って読む。と、たちどころに睡魔が襲ってきていっこうにページがはかどらない。寝転がって行儀悪く読むスタイルが習い性になってしまっている。困ったことだ。

で、この度の本は小B6判というコンパクトサイズにしてみた。タテの長さは新書判とほぼ同じ、左右の幅が5ミリほど大きい。手にやさしい大きさ。それにしても判型によって制限される読書生活を迎えることになろうとは。忌々しい年回りになってきたぞ。

2023年9月　　陰山晶平

**陰山晶平**（かげやましょうへい）
1958年兵庫県生まれ。1980年広島大学政経学部卒。
南船北馬舎舎主。著書に『活字の厨房 耳順篇』(2018)。

哀愁のコロフォン

2023年9月20日　第1刷発行

著　者　陰山晶平
発　行　南船北馬舎
〒658-0011
兵庫県神戸市東灘区森南町3-4-16-401
電話 078-862-1887　FAX 078-862-1888
https://www.nansenhokubasha.com/
Mail：bkedit@nansenhokubasha.com
印　刷　有限会社 オフィス泰

ISBN978-4-931246-39-3 C0095

# 活字の厨房

## 耳順篇

陰山晶平

南船北馬舎ホームページ上にくねくねと書き連ねてきた2001年〜18年までの「本」をめぐる小文を書籍化。新刊・旧刊、ジャンルを超えた極私的ブックガイド。索引付。

四六判、260頁、定価1600円（税別）

南船北馬舎